# 地方創生読本

— 北海道浦幌町編 —

水野　勝之　編著

五絃舎

# はしがき

本書は，北海道の十勝地方に位置する浦幌町に焦点を当て，経済面を中心にまとめた本である。都道府県の地方創生に関しては昭和堂の「大学的○○」シリーズがある（○○に都道府県名が入る）。市町村，特に町村活性化に関しては大学が中心になっての商業出版の本も存在するが，さほど多くはない。浦幌町経済についてまとめた本書は筆者たちの「地方創生読本」シリーズの皮きりとしたい。派手ではないが，経済史などを含めながら地域の経済の頑張りを紹介していきたい。

本書浦幌編は，「第1編　総合（含経済）」，「第2編　産業」，「第3編　教育・文化と経済」から構成されている。まず北海道経済で一番欠かせない注目点は，原野から経済社会に変えた先人たちの労苦である。先人たちの努力があって初めて今の浦幌町がある。（第1編）次に歴史の流れにおいて築かれた現在の産業に触れる。農業，畜産業，漁業，林業の４本柱が今の浦幌町経済を支えている。（第2編）また教育・文化と経済は不可分の関係にあると考えている。浦幌町の教育の特徴である「うらほろスタイル」が浦幌経済に密接に関連しているのは事実である。（第3編）

市町村が日本に1,718ある中で（2022年10月現在），各地域が様々な特徴づけを行って情報発信で競い合っている。その中で浦幌町は，確固たる第1次産業，新たな試みである「うらほろスタイル」で十分勝ち組に入っているように思う。本書の執筆にあたっては，浦幌町がなぜ成功しているかを全国発信し，他の自治体の参考にしてほしいと考えている。それでこそ「地方創生読本」を題に冠することができよう。

本書には多数の人名，企業名，固有名詞が記載されているが，そのすべてに連絡を取って許可を得られたわけではない。一般教養，一般常識として許容される範囲で記載したつもりである。著作権についても，引用箇所は明確化し，参考にした部分については参考文献を明示したうえ文を書き換えたつもりである。

本書は筆者たちの浦幌での教育研究活動をサポート下さった水澤一廣浦幌町長の協力のおかげで完成した。心より感謝申し上げる。

最後に本書の刊行でお世話になった株式会社五絃舎代表取締役長谷雅春氏に謝意を表したい。

2022年10月

水野　勝之

# 目　次

## 第2編　産業

# 第1編　総合（含経済）

# 第1章　浦幌の先人の活躍

水野　勝之，楠本　眞司

## 1. はじめに

### 1）浦幌の先人たち

ここで浦幌町の歴史に触れておこう。本書は今の浦幌のすばらしさを見つけたいと考えている。だが，その浦幌の土台も，一朝一夕で現在の町民が作り上げたわけではない。先人たちの苦労と努力の積み重ねが今の浦幌町の基礎となっている。

本章では，その先人たちの努力を紹介していきたい。正式に浦幌が誕生したのは1900年である。いや，それ以前の方々の努力を含めればそれ以上前である。そのころからの先人の功績をすべて取り上げたいが，いくつかのエッセンスに絞ることとする。「うらほろスタイル」の基礎となった教育の歴史，現在存在する産業の歴史などを取り上げていく。

本章を執筆するにあたって，

**浦幌町役場「浦幌町史」（1971年）p.922**

**浦幌町役場「浦幌町百年史」（1999年）p.823（以下，百年史と呼ぶ）**

を活用した。後者は前者を参考に書かれているので一部ダブっている部分もある。本書の以下の文章で，読みにくくなるのを防ぐため引用箇所の掲示は細くは行っていないが小見出し等での頁数の記載は試みている。歴史関連の大半はこの2冊による。この2つの書を紐解くと，浦幌の先人たちの気持ちと努力が同じ空間にいるかのように伝わってくる。本章ではその中のほんの一部しか使うことができなくて残念であるが，時間のある方はぜひ原書に目を通してほしい。19 ～ 20世紀の浦幌に立っているような思いを経験できる。

### 2）取り上げたテーマ

浦幌の歴史については政治，経済，文化，教育，自然等多岐にわたる。この中でここで取り上げるのは，経済と教育を中心とする。現在行われている「うらほろスタイル」は教育の中で行われた提案を経済社会において実現させるという政策である。筆者は経済学と経済教育の専門家である。主に経済と教育に焦点を当てたい。もしその他の分野を取り上げるとしても経済や教育に関連させ取り上げたいと思う。北海道なので，産業の発展がユニークであった。江戸や明治の入植後ほぼゼロから産業を立ち上げ，経済を発展させてきた。この試みと課題を見ながら先人たちの歴史を勉強することができる。

### 3）「浦幌町史」「浦幌町百年史」を作った先人

各自治体の歴史書についてはどこも役所が主導して作成する。しかし，作成するのは，非常に労苦が伴う。筆者らが書いている一般書と違い，エッセイ的ではなく，資料やデータに基づいた内容としなければならず，無機質になりがちである。その上自治体の歴史書は分厚くなり，一般の人が簡単に本を取り出してめくろうという手頃感に欠ける。苦労を重ねて作り上げても，本に関する賞を授与される機会は少ない。

そのような条件下，1970年（昭和45年）先人たちは「浦幌町史」

を作成した。浦幌町史編さん委員会が結成され，吉川利昌委員長の下，14名の委員および事務局（山口菊雄事務局校）が2年をかけて編さんした。この編さんは開町70周年記念事業ということもあり，「作成期間は2年」という制約が課された。この2年という期間は短かったといえよう。浦幌町の開町にあたるのは1900年（明治33年）である。浦幌を管轄していた大津村から独立し，旧生剛市街に，生剛以外の愛牛村，十勝村と共に戸長役場を設立し，浦幌町の原型が誕生した（百年史p.164)。浦幌村と改称されたのは1912年（大正2年）であったが，浦幌が誕生したのは1900年と見なされる。区切りが良い。1900年ぴったりにできた他の自治体は少なかろう。また，1901年からが20世紀なので，19世紀最後の年に立ち上がった町だという見方もできる。

1968年（昭和43年）8月に委員が委嘱され，翌9月の顔合わせで正副委員長や小委員会が決まった。その後，10月，翌年1月，2月と委員会がもたれるものの，この時は執筆がほとんど進んでいなかったという。資料の収集やその分担が話し合われたが，実際にその作業はほとんど行われなかった。編さんが実質的に始まったのは，4月1日に前述の山口菊雄氏が事務局長に就任してからであった。彼の努力で編さんがスピード感をもって進んでいった。

次に浦幌町の歴史が編纂されたのは「浦幌町史」編さん30年後の「浦幌町百年史」(2001年）であった。「浦幌町史」を参考にした部分は多々あるが，新たな資料や調査に基づいてまとめられている。また，「浦幌町史」の欠落部分を補う努力をしている。読んでいて読みやすかったのも，編集者たちのこうした努力のおかげであろう。また，新たにインタビュー調査も行ったとのことである。100年事業担当の日向俊量氏が編集後記に「(古稀の方からお話を伺うことになって訪れると）三人を尋ねれば三人とも異なっていることがある」と記している。我々はつい吹き出してしまうが，編集した彼らは何度も挫折感にさいなまれたようである。日向氏が多くの反省を記しているが，筆者が読ませていただくと，彼らの情報収集のおかげで「浦幌百年史」は臨場感のある浦幌を再現した。彼らの努力の賜物である。

各市町村でそれぞれの歴史書を作っている。ここでは浦幌町の歴史書を作った先人たちの紹介をした。彼らの労をねぎらいたい。

## 2. 子ども

浦幌の発展に欠かせないのは子どもたちである。子どもたちが育って次の世代の浦幌を背負うからである。大人が仕事で忙しいからと言ってその貴重な子どもたちをぞんざいにはできない。過去においても，仕事に大人たちが携わっている間，一人になった子どもたちの居場所づくりをしなければならなかった。そして，子どもたちへの教育も施さなければならなかった。かといって，そのように多くの配慮をして育て上げた子どもたちが浦幌に定着し，浦幌の人口が拡大し続けるかというとそうではない。人口の流出が起こり，その流出を防ぐために新たな手立てを打たなければならなかった。この繰り返しで浦幌の歴史は形成されてきた。先人たちの苦労がそこにある。

### 1）子どもの居場所（浦幌町史pp.473-483）

農業が盛んであることは地域経済にとって望ましいことである。かつては農業が栄えれば栄えるほど地域の人々の暮らしは良くなった。だが，戦後の浦幌の農業盛況期に，農業に関して思わぬ大きな問題が生じた。農業者にとって困る問題とは，彼らの子どもたちの居場所に関してである。農家には赤ちゃんから幼児までの小さい子どもたちがいる。もちろん小学生もいる。かつてのように，田んぼや畑の隅に小さい子どもたちを寝かせておけばよいというものではなくなっていた。昭和になり，田や畑の耕作面積がかつてと比べものにならないほど広がり，隅に置いておいた子どもたちに目が届かなくなってしまった。戦後農業が拡大されるのは良いことであったが，他方で親が農作業に従事している間の子どもの居場所づくりという問題が顕在化した。

そこで1946年（昭和21年）に子どもを預かり保育するための保育所が浦幌町に開設された。課題となっていた農繁期の託児が主な目的として作られた。その保育所は当初は公ではなく民間運営の施設だった。浦幌青年同盟が後援し，浄福寺の本堂を借りて設置されるという形をとった。寺の一部を間借りしての保育事業であった。寺を保育施設として共用するのではなく，独立した建物で公が運用する保育施設ができたのは1952年（昭和27年）のことであった。その時ようやく東山町7番地に独立した建物の保育園が設置された。当時の浦幌村に経営が移管され，浦幌町では公の最初の保育所となった。しかし，残念ながらこの建物は次の年に火災で焼けてしまい，村が再建しなければならなくなった。これが浦幌町立浦幌保育園であり（1954年より浦幌町），浦幌町長がその園長を兼ねた。1962年（昭和37年）には開設10周年記念式典が行われた。1964年（昭和39年）にはその保育園の建物は79坪から99坪に増築された。

だが，農繁期を除いた通常期には農家はその常設の保育所を利用するまでもなかった。親が自宅にいるからである。農業というのは1年じゅう忙しいというわけではない。作物の植え付け，作物の収穫の時期を迎えた時などの農繁期には夫婦そろって農作業に出なければならないが，農閑期には子どもたちの面倒が見られる。筆者がかつて地域活性化を研究した群馬県の嬬恋村では夏から秋にかけて夜中の作業のアルバイトまで雇ってのキャベツの収穫を行っていたが，作物が育っている間や冬の間などの通常期には子どもの面倒を親が見ることができていた。浦幌町も同様，農繁期だけ子どもたちの居場所があればよかったのである。そこで季節保育所といって農繁期のみ子どもたちを預かる保育所が誕生することとなった。

一時的保育所であっても場所は必要である。季節保育所の場合生活館の中に置かれた。生活館とは行政機能も兼ね備えた公民館のことである。当時の浦幌町の自慢は，町の中に4つの生活館があったことである。1965年（昭和40年）に厚内生活館，66年に吉野生活館，貴老路の生活館，67年に上浦幌の生活館が稼働を始めた。公民館機能だけでなく，生活指導，社会福祉，保健衛生などの事業を担う，町役場の支所機能を持っていた。このようにせっかく生活館という拠点ができたので，農繁期の子どもを預かってほしいという要望が数多くあがってきた。農繁期には農業従事者だけでなくアルバイトも雇わなければならなかった。そのアルバイトの人たちの子どもを預かるにあたっても既存の保育所だけでは足りなかった。保育所がなければ農繁期を手伝ってくれるアルバイトは集まらない。これらの生活館で季節保養所が開設されるとアルバイトも集めやすくなった。保育するだけではなく，母と子の福祉増進を目的として，1964年に東山町に「母と子の家」が建設された。研修室，遊戯室，相談室，図書室などが完備されていた。保育園は子どもたちの育成を支えていただけでなく，浦幌町の農業も支えていたわけである。

このように浦幌町では先人の時から子どもたちの育成に力を入れていた。「子どもの良，不良はその町村の発展を左右する」（百年史

p.477）という考え方が元にあった。前述の保育園というハードの整備だけでなく，ソフトとして地域子ども会も発足させた。町内全部で24の子ども会が発足したが，そのうち14の子ども会が1966年（昭和41年），10の子ども会が1967年の発足である。浦幌町はこの年代に子どもたちの健全育成に力を入れており，「青少年の日」を1966年に定めた。毎月第3日曜日がその日に当たる。その精神は，地域や家庭が子どもたちの育成をサポートする一方，子どもたちも「若い力を結集して，生気ある郷土建設の担い手となるための意識を高める」（百年史p.478）ことにあった。まさにいまのうらほろスタイルの精神そのものである。

農繁期の担い手問題から発した保育の必要性という子どもの問題は浦幌の人たちの「育成の重要性」の意識を盛り上げた。保育所などの整備のハード面だけでなく，地域子どもの会や青少年の日の開始などのソフト面での子ども重視の政策推進につながることとなった。

他方，子どもの遊び場が次第に狭められて交通事故の危険に子どもたちがさらされ始めたのもこの時期であった。危険な道路で子どもたちが遊ぶこともしばしばであった。そこで，まず私的施設として1961年（昭和36年）に大谷児童遊園地が造られ，その後1964年（昭和39年）以降に次々に児童遊園地が設置された。こうして1960年代に浦幌の各地域で子どもたちを育てる体制の基礎が出来上がった。

このように，浦幌の先人たちがなぜ子どもたちを大切にしようとしていたのかの理由がうかがいしれる。彼らの思いがうらほろスタイルの基礎を築き，現在の政策を有効なものとしたのであろう。

## 2）PTA（浦幌町史pp.174-178）

いまや学校にPTAがあることは誰でも知っている。筆者の一人も千葉県の地元でPTA活動にかかわったことがある。PTAとは，学校における子どもの育成のために保護者，教員が協力し合う組織である。この組織については前述の子どもたちのための施設を作る1960年代以前に出来上がっていた。戦後学制改革がなされ小学校6年・中学校3年の義務教育の制度の下，GHQの勧告でPTA（父母と先生の会）が全国に出来ることとなった。1947年（昭和22年）浦幌の各学校にPTAが整備されていった。現代の全国のPTAと目的や内容は同じで，会員の教養を高める事業，社会文化の高揚を図る事業，児童生徒の福祉を増進する事業，教育研究の整備を図る事業を行った。いまや全国のPTAでは参加が義務になってしまい活動もルーチンワーク化してしまっているという批判が根強い。だが，浦幌村（1954年（昭和29年）から浦幌町）の場合，発足当時，まだ戦後間もない時期でもあり，浦幌町や北海道からの各学校の教育予算が限られていたのでこれらの活動は各学校の教育にとって本当に助かったようである。

筆者の一人のかかわった千葉県浦安市に20校ほどの小中学校があり，その学校のPTAが連携して，浦安市PTA連合協議会という組織を作っていた。お互いの学校の情報交換を行ったり，スポーツ大会など会員同士の交流を行っていた。浦幌村も同様で，1951年(昭和26年)時点で浦幌町連合PTAが発足した[注1]。最初は相互の親睦を図ることだった。次第に，研究会，研修会，会長懇談会，視察旅行を行うようになった。PTA連合会の役割は大きい。情報交換

---

（注1）浦幌町史p.175に記載がある。筆者が思うに，町政施行の1954年以前なので浦幌村連合PTAだと推測される。

ができる。学校の情報にしても社会の情報にしても，単独のPTA内で良かれと思っていても，他の話を聞くと違う可能性がある。今やインターネットでの情報は当たり前のように重要視されているが，当時情報を学校間の親同士で交換できるシステムを構築したことは子どもたちの教育にとっても大きなメリットとなったことであろう。

ただ，これを執筆していて疑問があった。我々の時代，PTA連合会の集まりがあれば，バスや自家用車で簡単に行ける。今の浦幌町の中ならば用事があれば自動車でどこにでも行ける。しかし，当時は自家用車が1家に1台備わっているわけでなかったであろう。浦幌町は広い。会合があっても簡単にはいけない。その点，「浦幌町史」に記載がない。その不便な中で浦幌町のPTA連合を作り，それを実際に運営してきた先人達にはあたまが下がる。

### 3）浦幌高校（浦幌町史pp.178-179）

現在浦幌には高校がない。かつて北海道立浦幌高等学校（以下浦幌高校）があったが，入学生が少なくなり2010年（平成22年）に閉校された。そのために中学校を卒業した子どもたちが（高校に通うため）浦幌町外に出ざるを得ず，彼らをまた迎い入れるためのうらほろスタイルが重要政策となっている。

戦後当初はしばらくの間浦幌村に高校が存在しなかった。村民の切なる願いが叶い，浦幌高校は1951年（昭和26年）池田高等学校の分校として設立された。定時制普通課程としての設置だった。設立場所は独立した場所ではなく，既存の浦幌中学校内であった。1953年（昭和28年）に池田高校から独立し，上記の北海道浦幌高等学校と改称された。その後464坪の新校舎が建設され，農業科が設置された。また，高等酪農学校女子専門コースなども編成された。定時制のため勤労学生が通いやすくなり，遠方からの生徒のために寄宿舎も準備した。当初は夜間中心の定時制の学校だった浦幌高校であったが，1961年（昭和36年）いよいよ（昼間中心の）全日制課程に移行することとなった。これは浦幌町市民の長年の念願であった。それが実現し，336坪の校舎が新設された。翌年には体育館も落成され，1963年（昭和38年）には北海道立となり，名実とも高等学校の体をなした。

ところが，地元にとって順風満帆とはいかなかった。生徒が急増したことから1クラス増えて1963年には全部で9クラスにもなった。このことは良いことばかりを意味しなかった。第1に将来周辺の人口増が見込めないこと，第2に浦幌高校の入試成績があまり良くないことの二つの理由から，北海道教育委員会が1クラス減らすという方針を示した。それに怒ったのが，浦幌町および周辺地域の人たちであった。「地方の過疎化対策に本腰を入れる道（北海道）が，学級減の措置をとるのはもってのほか」（浦幌町史前掲）と憤ったのである。早速浦幌高等学校学級対策期成会が発足した。浦幌町長，豊頃町長をはじめ，両町の町会議会議長，教育委員会委員長，連合PTAらが1クラス減の阻止に動いた。その結果，1970年（昭和45年）にその主張が認められ，当面クラス減は行われないこととなった。浦幌高校は浦幌町周辺にとって宝物であった様子が読み取れる。その後は人数減によるクラス減が続き，最後に入学定員を大幅に満たせず廃校になってしまった。過疎化が進んだ日本全体の社会変化のためやむを得ないことであった。

最後に付言しておくと，浦幌高校のPTAも，前述した浦幌町連合PTAに協力して活動したことは言うまでもない。浦幌町やその周辺の地域において，地域社会の向上発展に尽力したと言われている。

### 4）小括

戦後から高度成長期までの教育については，第1に，戦後の国の方針である6・3・3制に合わせたこと，第2に農繁期のアルバイトを雇うために保育所を整備したことが特徴的であった。一時子どもの増加で，小学校や中学校の数が増え，高校もできたが，その後の少子化で高校は廃校になり，小学校，中学校の数もそれぞれ2校まで減ってしまった。その数の変化にまさに浦幌の教育の劇的な変遷が描かれている。その中でも，PTAが連携し合うなどの親たちの努力がはらわれた。現在の「うらほろスタイル」はこうした教育の変遷を土台にして高校廃校後の問題を解決するため進められてきた。

## 3．交通（百年史pp.684-697）

ここでは江戸時代から明治時代を主としながらも，昭和中期にいたるまでの浦幌の交通についてまとめた。一口に交通といっても，森林，川，海岸など自然環境は千差万別であり，そこを交通する手段や方法も変わってくる。浦幌，十勝の先人たちはそれらを一つ一つ築いてこなければならなかった。先人たちの開拓の苦労だけでなく，その交通を活用する側の労苦も伝わってくる。

### 1）道路

道路は交通のかなめである。かつては行き来するには（歩く）道か，（船で）海や川を使うしかなかった。道路がない開拓時代，人は移動するのに踏分道（ふみわけみち：誰かが通った跡），馬車のわだち，そして今述べた河川を交通路として使っていた。開拓が進むにつれ徐々に道路が整備されていった。一口に道路といっても，道には，通行や経済の交流などの物語が詰まっている。特に北海道は当初人が少なく，本州のように道が発展していたわけではなかった。十勝や浦幌を中心として道の変遷をたどってみることにしよう。

### 江戸時代

江戸時代，北海道（蝦夷地）の道路の基本は海岸沿いの自然路であった。人工的に作った道を歩くというよりも海岸伝いに歩いたという方が当てはまる。幕末になると，産業の振興や軍事目的のため，海岸沿いの自然路の難所を迂回するための道を山中に造るようになった。東西を結ぶ道も造られた。十勝での道路造りは，1798年（寛政10年）近藤重蔵の手によってなされた。彼は自費を投じて十勝に3里（ルベシベツ－ビタタヌンケ）ほどの道を手掛けた。翌1799年以降，猿留－広尾（6里），広尾－当縁（7里8町），当縁－大津間（6里14町）を順次造っていった。1799年には広尾の会所（公的な事務所，集会所）に馬8頭，大津の会所には7頭が配置されていた。よって，馬を使いながら道を行き来していたと思われる。

浦幌では，江戸時代の1805年（文化2年）の段階で昆布刈石に間道が造られたことが資料に残っている。釧路に向かう途中で立ちはだかる昆布刈石海岸は，風や波が強い日には歩けなかった。そういう日には船も出せなかった。そのため，昆布刈石海岸段丘に間道が造られた。日高，十勝，釧路を結ぶ動線において，天候に影響を受けなくなったこの道路は非常に重要な役目を担った。

### 明治以降

明治政府が北海道の開拓を本格化させるにあたって，大きな障害になったのがこうした道路の未整備状態であった。内陸部に移民を送り込むにも，諸産業を起こすにも，天然資源を採掘するにも道路がないことにははじまらない。道路の未整備が北海道開発のネックとなった。政府は1869年（明治2年）から1871年（明治4年）にかけて補助金を出して民間に道路建設を促すことにした。その作業として北海道で著名なのは，有珠郡のオサリベツから札幌までの約27里の道路であった。東本願寺が出願して造ったため，本願寺道路と呼ばれた。

明治初期，道東では海岸線の道は存在したものの内陸にいたる道が皆無であった。内陸に行くときは先住民であるアイヌの方に案内してもらうしかなかった。それだけ道は未整備であった。1871年（明治4年）開拓使は，苫小牧から根室にいたる海岸線の道路の整備を急いだ。明治政府は1876年（明治9年）道路を，国道，県道，里道と区分けし，十勝での国道では苫小牧から根室に至る道路を国道43号線とした。広尾，歴舟，大津を通過する道路であった。1898年（明治31年）内陸に至る道路として広尾から大樹を通って帯広にいたる広尾街道が開通した。内陸の十勝と旭川を結ぶ道路の建設には，根室から網走，旭川を通って札幌にいたる道路建設と同様に囚人を活用したという。よって，囚人道路と呼ばれる。十勝内での主な囚人道路は，県道南北線（大津街道），帯広大通り1～11丁目（監獄道路），糠平線（音更山道）などであった。

**大津街道**

大津街道（県南南北線）も囚人道路の一つであった。十勝の玄関である大津から内陸の帯広までの輸送には当初十勝川を使っていた。底の浅い平船だったため安定性が良くなく，増水時などで転覆することがしばしばあった。1892年（明治25年）大津から新得までの道路の建設が始まった。その工事には700人の囚人たちが動員された。看守長2名，看守70名に監視される中彼らは道路建設作業を行った。だが，この作業は過酷を極めたという。まず囚人たちは釧路から十勝太まで歩き，そこから船で先遣隊の建てた5か所の内陸の小屋に送られた。その小屋に滞在しながら新たな道路を切り開く工事にあたった。原始林の巨木，沢沼地の水など道路の開削には難題ばかりが立ちはだかった。もちろん今のような便利な機械はない。人力のみでの建設であった。翌年（1893年）には，大津から芽室までの道が完成した。囚人を活用しての建設であったため，通常かかる費用の10分の1で済んだ。過労，不衛生，栄養失調などで工事に携わった多くの囚人が亡くなったという。多くの犠牲者を生んでしまった。かかった費用も，少なく済んだにもかかわらず，1893年（明治26年）には予算が底をついてしまった。結局，予算不足のため，大津から芽室高台までの開通後，計画されていた工事は中止されてしまった。

**浦幌の道**

1900年（明治33年）浦幌でも道路の建設工事が始まった。土田農場のある統太と養老の間を結ぶ道路の建設であった。国による囚人の道路ではなく，自分たちで決めた「移民たちの移民による移民のための道路」であった。旅来から本別までの道路は，1908年（明治41年）に完成した。浦幌川を渡る橋が10数本もかけられる，苦労のいる工事であった。浦幌町百年史では「浦幌の南北貫通の脊髄」と表現している。1910年（明治43年）には，東6線から東20線までの川上道路が完成し，1916年（大正5年）には，一部林田農場の土地の寄付を受け，上・下幾千世の道路が完成した。1926年（昭和元年）には常盤まで通じた。浦幌の道路はこのように次第に完成していった。これらの道の完成は，入植者の増加をもたらし，浦幌村全体の生活向上，地域活性化を実現させた。

話は戦後まで飛ぶが，戦後，1958年（昭和33年）以後，浦幌の道路を総じてみると，国道は1線，道道は6線，町道は140線が主であった。1958年，吉野，統太，厚内を通る海岸線の旧国道38号線が，浦幌市内を通るように7年の年月をかけて切り替えられた。だが，その道は狭く，建設資材，農産物などを運ぶ多くの輸送車の往来に住民の安全が脅かされた。特に子どもたちが使う通学路でもあったため，改善が急務となった。そこで，1968年（昭和43年）浦幌市街の通行を回避する国道38号線のバイパスが完成した。このバイパスには浦幌中学校への通学路が地下横断道として建設された。他にはあまり見ない例であろう。このバイパスの完成で浦幌市街の交通安全が大幅に改善された。そのバイパスには現在道の駅も整備され，浦幌経済にとっても重要な動線として活躍している。

北海道の開拓を進め，経済を発展させるためにはこうした道路建設が不可欠であった。まさにゼロに近い状態から先人たちが数々の道路整備を手掛けてきた。彼らのこれまでの苦労で，北海道内の行き来が便利化したのである。

### 2）橋

道路の工事で厄介だったのが橋の建設である。残念ながら，江戸，明治，大正における橋の詳細な記録がないため，浦幌にいつどのように橋がかけられたかは判然としない。1949年（昭和24年）時点で，木の橋179本，鉄筋コンクリートの橋17本，鉄のつり橋4本が架けられていたという記録がある程度である。

#### 十勝河口橋

昭和40年代まで国道336号は十勝川で分断され，車両の通行が困難であった。そのため十勝川の通行は渡船に頼っていた。全国でも珍しいケースであったという。国道336号では車両の行き来ができないため住民だけでなく社会にとっても非常に不便であった。そうした状態が続いていたが，1974年（昭和49年），浦幌，広尾，大樹，忠類，豊頃で十勝海岸線国道建設促進期成会を発足させ，国に架橋の早期完成を要請した。1982年（昭和57年）に測量が開始され，翌1983年着工，そして10年後に十勝河口橋が完成した。

十勝川河口から4キロメートル上流に，長さ92メートルのコンクリート製の橋が架けられた。工費は91億円だったという。ようやく車両での往来が可能となった。

**浦幌大橋**

今述べた国道336号は，浦河町から，えりも，広尾，豊頃などの沿岸を経て，浦幌町内で国道38号に合流し釧路にいたる主要道路であった。この国道には浦幌大橋が含まれている。浦幌大橋は，豊北と十勝太に架けられた浦幌十勝川に架かる橋である。1993年（平成5年）に着工され，5年後の1998年（平成10年）に完成した。

### 3）馬車・馬そり

道内の交通において馬は重要な役割を果たしてきた。工事を通して造られる道路が登場する以前，開拓者たちは農産物を馬に担がせて運んでいた。荷物を運ぶ馬を駄馬と呼んでいた。道路が建設される前は駄馬が運搬の主役であった。道路の整備が進むにつれて駄馬の運送に変わって馬車や馬そりで運搬するようになっていった。馬そりについては，1878年（明治11年）8月開拓使長官黒田清隆がロシアのウラジオストックに渡った際，乗馬車，乗そり，そして馬4頭を購入して持ち帰った。同年12月には樺太のコルサコフで黒田清隆はそりによる氷雪の上での移動を視察し，樺太から職工3名を連れて帰って馬車や馬そりを作らせたという。道内で当初は札幌と室蘭の行き来に馬車や馬そりが活用された。それが次第に道内に広がった。これが，馬そりが日本に入ってきてその利用が広がった経緯である。

道路で馬を交通手段としただけでなく，北海道では馬車鉄道も存在した。敷いたレール上を小型の客車や貨車を馬が引いて進むというものである。馬を動力とした鉄道である。1897年（明治30年）

函館において2頭の馬に引かせた馬車鉄道が登場した。浦幌では，1918年（大正7年），浦幌炭砿開設に伴って石炭を運ぶために馬車鉄道が使われた。毛無から浦幌駅までのレールが敷かれ，石炭を積んだ7，8台のトロッコを馬が引いた。翌1919年（大正8年）には，富士製紙株式会社池田パルプ工場の創業に伴ってレールが敷かれた。上浦幌の上川上の奥で伐採された原木をこの馬車鉄道で運んだ。だが，途中に急坂があったため，修羅場（すらば）から修羅運材という方法を使いながらその坂を下ろし，最後にまた馬車鉄道で本別駅まで木材を運んだという。

もう少し詳しく説明しよう。修羅運材とは聞きなれない言葉であるが，百年史p.692では修羅場について次のように説明している。「急坂に木材で材木をすべり落とす通路を造り，同時に材木の転落をするとき，摩擦で発火することを防ぐため，水を流化した装置を施した所である」。要は，木材をすべり落とす坂を造り，そこに水を流しながら運搬すべき木材を流したということである。浦幌の修羅場は浦幌坂を横切って設置されていた。まず伐採された木材はトロッコを引いた馬車鉄道によって浦幌坂の上まで運ばれる。そこから木材は修羅運材によって坂下まで運ばれる。坂下からは再び馬車鉄道で本別駅まで運搬される。浦幌のトロッコは3台の連結であった。

この修羅運材は北海道の中でも珍しい方法であった。しかも，摩擦熱により火花が飛び散る光景や，木材のドスンドスンととどろく音響はダイナミックなものであった。多くの学生たちが遠くからはるばる浦幌に見学に来たという。残念なことに，1930年（昭和5年）の富士製紙の閉鎖とともにレールは取り除かれ，修羅場も姿を消した。

### 4）バス

浦幌での乗り合いバスの登場は1929年（昭和4年）頃だという。大津の横野勇が浦幌から留真を経て本別まで至る路線バスを運行した。1940年（昭和15年）には，十勝自動車合資会社が浦幌駅と留真間，および浦幌駅と浦幌炭砿間の2路線のバスを運行した。ただし，それは無許可での運行だったという。道東バス株式会社が，1952年（昭和27年）に本別と活平間，1954年（昭和29年）に本別と川上間，そして1956年（昭和31年）に浦幌と上常室小学校間の運行を始めた。十勝バスは，1955年（昭和30年）に浦幌と帯広間に，1961年（昭和36年）に浦幌と十勝太間間に路線バスを運行した。1967年（昭和42年）には上厚内－浦幌－帯広間の「上厚内線」「浦幌急行線」が1日3往復運航された。このように浦幌町民にとって便利なバス路線であったが，1986年（昭和61年）に過疎地のバス運行の補助金が打ち切られた後，留真線をはじめ，次第にバス路線が縮小されてしまった。次第に自家用車が普及してきたことが大きな理由の一つであろう。

現在は，患者輸送バスと留真温泉バスの一部を再編・統合し，市街地を循環するコミュニティバスが走っている。通称浦バスと呼ばれている。「コミュニティバスのデザインは，平成25年度浦幌中学校地域活性化案発表会において，当時の3年生が提案したデザインを基に，本中出身のデザイナーの方に仕上げていただきました。本町を走るコミュニティバスの愛称は『浦バス（うらばす)』としました。これも，平成25年度の浦幌中学校3年生の提案の中から選ばれました」とのことである（浦幌町HP)。これもうらほろスタイルの成果であった。うらほろスタイルおそるべし！また，予約制で運行している本別・浦幌生活維持路線バスもある。「予約のあった便のみを運行し，予約人数・状況に応じて，運行車両（マイクロバス・ジャンボタクシー・タクシー）を選択し，停留所間を最適なルートで運行し」ている（浦幌町HP）。

### 5）渡船

浦幌の交通には渡船があった。開拓が本格化し，明治時代には道路の延長とともに橋が架けられるようになった。だが，大小の河川を持つ十勝川水域のすべてをカバーできるほどの橋の建設は無理であった。それを補ったのが渡船であった。浦幌では，1857年（安政4年）段階で直別川に渡船が渡されていた記録があり，1871年（明治4年）の段階で十勝川，大津川に1か所ずつの渡船が登場していた。1909年（明治42年）の段階になると，十勝で公費で36か所，地方費で10か所，私費で24か所の渡船が運営されていた。浦幌には，そのうち5か所の渡船があった。いずれの渡船も人馬の活発な往来に使われていたという（百年史p.693）。そのうち一つは西田小次郎が十勝太とベッチャロ（豊北）の間を私設で運営していたという記録がある（百年史p.694）。西田の渡船はベッチャロの放牧地と畑に使用人が行き来するために使われていた。西田が亡くなった後も亀山仁三郎が引き継ぎ，1922年（大正11年）まで続いたという。このように目的の限られた渡船も存在した。

昭和になると，道路や鉄道の発達で渡船は次第に姿を消すことになる。とはいうものの，橋の建設が追い付かない要所では渡船の役割が重要であり，十勝川には昭和初期から中期まで西三線道路の南端に大津に行くための渡船があった。浦幌川には上浦幌には1か所，下浦幌には3か所の官営の渡船があった。1955年（昭和30年）旧大津村（浦幌町に併合）東部地区にも3か所の渡船場があった。だが渡船も徐々に減っていき，1993年（平成5年）に前述の国道336号の十勝河口橋が完成したことから，国道の渡船は姿を完全に消した。

### 6）浦幌の鉄道初期（百年史pp.698-703）

北海道の交通で忘れてはならないのは鉄道である。鉄道の開通は，経済，生活，文化を大きく変えた。北海道での最初の鉄道は1880年（明治13年）幌内炭山の石炭を運搬するための36キロメートルの幌内鉄道であった。その列車は，2両が客車で，あとの12～15両が石炭などの物資輸送車両で構成されていた。浦幌では1903年（明治36年）釧路線（根室本線）の駅として浦幌駅（初代駅長石崎身之助）が開業した。釧路から白糠，音別を通って浦幌にいたった。最初に使われた車両はアメリカから渡ってきた車両であった。浦幌では，同日厚内駅，1907年（明治40年）に直別駅，1910年（明治43年）に新吉野駅，上厚内駅が開駅した。

華々しい開通の裏には，道路工事と同様鉄道建設の並々ならぬ困難とそれを乗り越える苦労があった。原始林や沼地を切り開くという過酷な労働をこなしての開通である。今のように機械に頼ることができない明治時代，工事は人海戦術で行われていた。また，公共事業を民間業者が請け負うものの官と民のなれ合いで雇った人夫に過重労働を強いたようだ。そのため多くの土工夫が命を落としたという。こうした陰の部分を持ちながらも，北海道の鉄道建設は進んだ。浦幌に鉄道が開通したのち多くの移住者が浦幌に移り住んだのは言うまでもない。鉄道の大きな効用である。

実は当初十勝太を通る海沿いの鉄道が計画され（1896年（明治29年）北海道鉄道敷設法による道内鉄道主要予定幹線の決定），十勝太には遊覧船の停車場，遊郭の予定地，公園の予定地，灯台の予定地などが準備され，十勝太への移住者も増えたほどだったが，その計画は実行されなかった。海岸線の工事が困難という理由だったそうである。その鉄道計画に浦幌の人たちは翻弄されてしまった。

## 4. 経済

経済が成り立って初めて地域社会は存続する。浦幌も先人たちの築いた経済のおかげで開拓後の歴史が築かれてきた。そのうち，浦幌を支える第1次産業の農業，林業については他章でそれぞれを別建てで取り上げる。過去だけではなく現在もメジャーな産業だからである。ここでは，かつての主要産業であった炭砿，そして，主要とはなりえなかったが浦幌経済を支えてきた工業，観光業のそれぞれの歴史を紹介することにしよう。先人たちの苦労や苦心が伝わってくる。

### 1）炭鉱（百年史pp.494-508，「浦幌産炭史」HP）

かつて浦幌町には炭鉱が存在した。浦幌炭砿である。石炭は北海道の開拓時代から主要なエネルギー源であった。北海道全体で経済社会を支えるために多数の炭鉱が稼働していた。浦幌でその任を担ったのが浦幌炭砿であった。不景気や第2次世界大戦などの理由で一時的休鉱を繰り返しながら1954年（昭和29年）の閉鉱まで稼働し続けた。浦幌炭砿は浦幌市街から常室川上流26キロに位置していた。炭質が不粘結性であったため，そこで採掘された石炭はボイラーや家庭での使用に適していたものであった。

明治時代，浦幌に存在した双運砿区，太平砿区は古河鉱業株式会社によって所有され，運営されていた。1913年（大正2年）大阪に本社を置く大和鉱業株式会社が古河鉱業株式会社を買収した。大和鉱業株式会社は浦幌内ですでに複数の砿山を運営していた。この買収によって浦幌町の炭鉱を大和鉱業株式会社がほぼ独占することとなった。1918年（大正7年）浦幌炭砿として常室，留真，毛無（けなし）の3

つの坑口が掘られた。ただし，採算が合う坑口は毛無だけだったという。開鉱当時は60度の山の傾斜に水平坑道を掘る難しい掘削を余儀なくされた。また，掘り出した石炭を運搬しなければならない。そのため，毛無から浦幌駅まで馬車軌道も整備した。こうして浦幌の炭砿業の姿が形作られた。だが，順風満帆とはいかず第1次世界大戦後に不況が押し寄せ，その影響で1921年（大正10年）浦幌炭砿は休山せざるを得なくなってしまった。

景気が戻り，再び開鉱したのは10年以上あとの1933年（昭和8年）だった。この時開坑されたのは，毛無ではなく，留真，双運，太平の各炭鉱であった。当初は留真のみの出炭だったが運搬が不便なことから，1935年（昭和10年）より双運，太平からも本格的に出炭を行った。1933年に鉄道を浦幌市街まで引こうとしたが，工事が進まず，1935年の開通予定時に鉄道は完成されなかった。1936年（昭和11年）浦幌炭砿は大和鉱業株式会社から三菱鉱業株式会社に買収され，隣の音別町の尺別鉱業所の傘下に入ることになった。鉄道については，当初の浦幌市街までのルートをあきらめ，浦幌炭砿から尺別炭砿までのトンネル（尺浦通洞）を通しての鉄道ルートを開通させ，その先は尺別炭砿まで来ている鉄道ルートを利用することとなった。かくして，浦幌炭砿の鉄道運搬ルートが完成した。

太平洋戦争末期に坑夫の強制配転があり，またもや浦幌炭砿は休止を余儀なくされた。その後ようやく出炭が再開できたのは1948年（昭和23年）であった。1950年（昭和25年）に朝鮮戦争が勃発するとその好景気で浦幌炭砿の産出量が大幅に増えた。その結果，労働者数も大きく増え，双運部落を中心に730世帯が暮らす町が出来上がった。浦幌炭砿小学校，中学校，高校分校（定時制）も開設された。いよいよ本格的に町が発展していくと思われたが，朝鮮戦争終結の反動による不況がこの炭砿を襲った。浦幌炭砿以外でも各炭鉱では在庫の貯蔵石炭があふれていた。1954年（昭和29年），とうとう浦幌炭砿は閉鎖されるに至った。1948年に再開され，1954年に閉鎖されたため，浦幌炭砿に関わった人たちはたった7年の夢物語のような期間を過ごしたわけである。その間に小学校から高校まで出来上がったが，1955年（昭和30年）には高校が町に移り，1957年（昭和32年）には小中学校が縮小された。再開，休止，再開，・・・の末，浦幌炭砿でともった町の灯は次第に消えゆくこととなった。

## 2）浦幌の工業（百年史pp.189-190）

製材業を林業の分野で説明するため，他の工業を取り上げたいところだが，明治から昭和まで浦幌で際立った工業が見当たらない。百年史には，レンガ工場と土管工場が紹介されている。北海道では，明治期に建設によるレンガの需要が拡大し，道内各地に多くのレンガ工場が造られた。具体的に言うと，陸軍の師団基地の建築のレンガが必要となったり，建築物や官設鉄道の工事によるレンガの需要が増えたためである。

浦幌でレンガ製造を行ったのは1919年（大正8年）創業の浦幌窯業株式会社であった。農業経営の一環として森牧場が創設した。いよいよ販路拡大という矢先に第1次大戦後の不景気が襲い，レンガの主要な需要先である建築物の建設が抑えられてしまった。そのため，浦幌窯業株式会社は閉窯し，残念なことに1924年（大正13年）廃業に至ってしまった。ただし，森農場は，そこで製造されたレンガを使って小作から農作物を集めて収納するためのレンガ倉庫を浦幌駅前に造っていた。戦後，便利な立地から農業協同組合が利用していた。1952年（昭和27年）の十勝沖地震が発生し，その倉庫も使用できなくなり廃止されることとなった。

もう一つ，製造業としては土管工場も浦幌に建設された。第2次世界大戦中土地改良事業で土管が必要となった。その需要を補うために土管工場が建設されることになった。ちょうど終戦の年の1945年（昭和20年）6月に完成した。8月に終戦となったため，機械を取り付ける間もなく，すなわち開業することなく，閉鎖されることになってしまった。工場長や庶務会計まで具体的に人選がなされていたのに土管を1本も製造をすることなく，1946年（昭和21年）土管工場になるはずだった建物は解体された。

以上が，浦幌百年史に登場する唯一の工業だった。歴史においては他に目立つような工業は存在していなかった。

### 3）観光

次に，浦幌の観光の歴史にもスポットを当ててみよう。浦幌町は全体としては観光の町というイメージはないが，現代でも留真温泉やみのり祭りなどのいくつかの観光の側面を有している。そららの歴史をたどってみよう。

#### 留真温泉（百年史pp.726-728）

いまや浦幌の留真温泉は地元の人，周辺の人，観光客が集う温泉施設となっている。実はこの温泉の歴史は長い。

留真川上流は深層熱水資源が豊富であった。市街地から16.8キロ上流にある留真温泉の発見は1900年（明治33年）前後と言われている。泉質は単純硫黄であり，温度は31度の温泉であった。主にリューマチ，神経痛，糖尿病に効くとされていた（注2）。当初は掘っ立て小屋を建てた中にある五右衛門風呂を周辺の人たちが利用しに

---

（注2）道立地下資源調査所燃料地質部長長尾捨一氏による。（百年史p.726）

来るに過ぎなかったが，1915年（大正4年）中川北松が留真温泉に3階建ての留真温泉館を開設した。初代管理人を嘉会旗六という人が務めた。開設当初は，胃腸炎，皮膚病，切り傷，やけど，漆かぶれの湯治客が多かったという。今のように日帰りではなく，長くて2～3週間逗留したという。ただ，留真温泉までの2キロ部分は当時道がなく交通が不便であったため，入浴客の送り迎えを馬で行っていた。もちろん馬車ではなく，馬の背中に乗るのである。湯治客らは馬の背中に揺られながら留真温泉を訪れていた。

1917年（大正6年）に留真温泉館は浦幌炭砿を経営する大和鉱業株式会社の平泉甚輔に売却された。最初の経営者である中川の運営はほんの数年間に過ぎなかった。大和鉱業は買い取った建物を事務所兼社宅とした。また，新たに川を挟んで向かい側に，炭鉱夫たちの居住する長屋を建設したそうである。よって，観光地としての後は炭砿経営の会社での企業関連施設となった。厳しい労働の後，労働者たちがその疲れを留真温泉に入っていやしたことであろう。ただ，こうした大和鉱業株式会社による活用も，炭砿休山の1932年（昭和7年）までで，その後この施設は利用されず，建物も朽ち果てていったという。留真温泉の活用は長い中断に入った。その間貴重な自然資源である留真温泉は人々に利用されることはなかった。

1957年（昭和32年），豊頃町の岩崎栄作が留真温泉の所有者である日本炭砿株式会社に温泉のボーリング（掘削）許可を求めた。岩崎は，スキー場，養魚場などを備えた総合リゾート観光地を視野に入れていたようである。だが，その岩崎の要望は日本炭砿株式会社に拒否されてしまった。残念ながら岩崎の構想は実現しないままで終わってしまった。その後，1963年（昭和38年）浦幌町民から，留真温泉を町民のための保養地にするよう運動が始まった。これに応える形で温泉の復活が進んだ。1965年（昭和40年）にボーリングを行い温泉の掘削に成功した。以後温泉を貯める池や宿泊施設を建設し，1966年（昭和41年）温泉施設が民営でオープンした。当初は貸借契約であったその土地を同年浦幌町が日本炭砿株式会社から買い取り町有地とした。その後経営者は変わりながらも営業が続けられたが，2005年（平成17年）に一度閉館することとなった。2011年（平成23年）に日帰り温泉施設を浦幌町が整備し，現在の留真温泉として開館した。

多くの町民や周辺地域の人に愛され利用されている留真温泉も紆余曲折を歩みながら今日に至っている。現在は地元の人，仕事を終えた人，そして観光客に愛され，活用されている。

## 5. 結び

この章では教育，天然資源，交通，経済の幅広い分野についての浦幌や十勝，そして北海道の先人たちの苦労と努力を取り上げた。現在の浦幌経済も先人たちの築いた経済の上に成り立っているし，現在成功し全国に名を馳せているうらほろスタイル政策も，こうした先人たちが築いた教育体制を礎に成り立っている。浦幌の主要産業である農業での人手の確保のために保育所を開いたり，学校を拡大してきたことが分かった。親や地域の人たちが連携して子どもたちの居場所づくりを行い，その結果が彼らの力を引き出し育成する教育につながってきた。浦幌の開拓時代や発展期の苦労の中，先人たちが仕事だけでなく，子どもたちをどれだけ大切にしていたかが分かる。その精神が現在に伝わり，うらほろスタイルが生まれてきたことと思う。

交通整備のための工事にあたる労働の苦労は筆舌に尽くしがたかったことが百年史よりうかがわれる。北海道では労働者も，いやになったからやめますといっても逃れる方法がなかった。通常ではありえないような労働を強いられていた。そのおかげで，北海道の人や物資の移動が次第に可能になり，交通が経済の発展を支えるに至った。とはいうものの，道や渡船が整備され始めたからといっても，使う側も不自由なく使えたかというとそうではなかろう。記録がもっと残っていれば，作る側の苦労だけでなく使う側の苦労も詳細にわかりより関心を引いたかもしれない。いまや簡単に移動している我々であるが，先人たちの苦労や苦難の上に今の便利を獲得していることを忘れてはならない。

各産業で成り立つ浦幌経済も，森林や鉱物資源などを礎に形成されてきた。炭砿，森林からの天然資源で，かつての日本経済に必要とされてきたエネルギーの供給を担ってきた。そのエネルギー資源の移動には並々ならぬ交通の整備の苦労が潜んでいた。時代の流れの中で日本社会や日本の経済社会を発展させるべく，浦幌の先人たちは力を注いできた。うまく天然資源を生かしてきた先人たちの工夫と努力が今の浦幌を，そして日本を築いてきた。

ここで紹介したのは浦幌町の先人の努力のほんの一部に過ぎない。記録も限られていたことと相まって筆者の努力不足で，先人たちがまとめてくれた浦幌の歴史をすべて網羅することができなかった。本章で取り上げなかった分野においても先人たちが活躍してきたからこそ今の浦幌町がある。そのことを忘れないでほしい。

将来の浦幌も現在の人たちの努力と工夫が礎となるであろう。歴史は，先人たちの努力に感謝するとともに，将来の人たちのために努力を惜しまないことが重要であることを物語っている。それを実行しているのが現在の浦幌町だといえよう。カーボンニュートラルやSDGsの解決に役立てられる人材や資源がまだまだたくさんある。将来の浦幌のため，そして日本，いや世界のため浦幌の人材や資源をうまく活用する方法を考えて，それを実行に移してほしい。

**参考**

「浦幌産炭史」北海道産炭地域振興センター（2021年10月29日確認）
https://www.santankushiro.com/town/history_urahoro.html
「尺別（しゃくべつ）炭礦」村影弥太郎の集落紀行（2021年10月29日確認）
http://www.aikis.or.jp/~kage-kan/01-2.Doto/Onbetsu_Shakubetsu.html

# 第2章　優しさと穏やかさの指標「うらほろ度指数」を考える

## ～ 人と環境に優しい暮らしの指標 ～

河合　芳樹

## 1. はじめに

SDGsに代表されるように「持続可能性」は現代のキーワードである。自然環境を守り，人にも環境にも優しい日常を続けていくことが求められている。北海道は自然環境に恵まれた地であり，浦幌町はそうした北海道の財産の多くが備わっている。

本章では，そうした浦幌町が豊かな「自然環境」を維持しながら毎日営まれる人々の「生活」と「産業」と，それを支える「財政」を数量的に組合せた人や環境に優しく暮らす指標，「うらほろ度指数」を考えてみたい。言い方を換えれば，自然環境と共生による日常を営み，行政がそれをバックアップする優しさと穏やかさの指数である。

「うらほろ度指数」の試作に当たって，様々な統計をグラフ化して述べていく展開になったことをお許しいただきたい。

図表2-1　本章は自然環境と調和した土地利用を中心に浦幌町の生活・産業・財政をグラフで表す

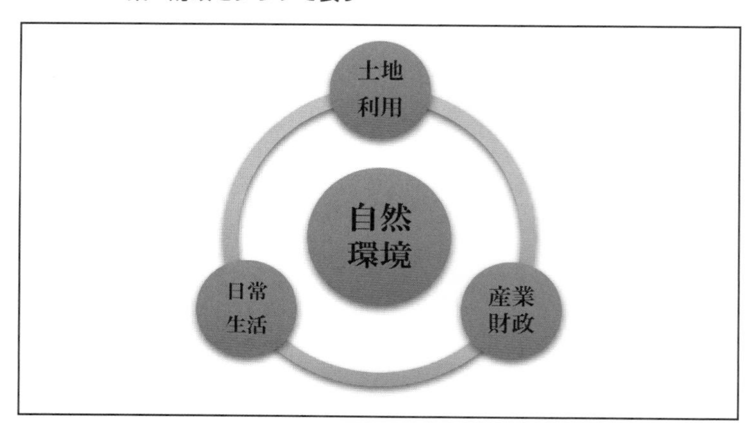


## 2. 土地利用

### 1）自然環境からみた土地利用

浦幌町の730km$^2$は，可住地面積24%，森林面積74%，草生地面積2%の緑豊かな北の大地にある。

土地利用には地域の特色が現れる。土地利用の状況からその地域の暮らし方，働き方，さらには，経済活動について推測できる。土地利用は，自然由来の条件からの土地利用区分と，それを土台にした人々の経済社会活動の結果として生まれた地表面の利用形態区分によって知ることができる。浦幌町の土地利用を最初に前者の区分により他の地域と比較する。

図表2-2は，2014年での自然的条件に基づいた可住地，湖沼と森林，草生地の別で，それぞれの行政面積に対する割合（%）を地域別にグラフにしている。可住地は，一般的には，宅地，田畑ほか

それらと類似する雑種地からなる。林野面積は森林と草生地の合計をいう。浦幌町の2014年の林野面積は553km$^2$で行政面積の74%を占めている。内訳は，森林面積が542km$^2$，草生地面積が1,175haである。

なお，全国1,718市町村で林野面積が広い上位3市町村は，

1位　岐阜県高山市　1,905km$^2$

2位　栃木県日光市　1,214km$^2$

3位　北海道足寄町　1,149km$^2$

であるが，行政面積に対する林野面積割合と森林面積割合はいずれも北海道179市町村のうち178市町村が全国の1位から178位までを占めている。浦幌町の林野面積割合は76%（全国，道内ともに76位），森林面積は74%（全国，道内ともに69位）で，北海道全体と道内郡部の平均割合を上回っている。

**図表2-2　浦幌町の自然環境は森林面積割合が道内郡部の平均を上回る**

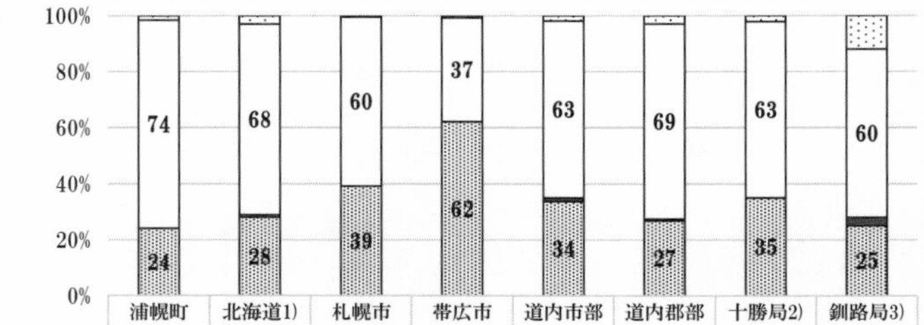

| | 浦幌町 | 北海道1) | 札幌市 | 帯広市 | 道内市部 | 道内郡部 | 十勝局2) | 釧路局3) |
|---|---|---|---|---|---|---|---|---|
| 草生地 | 2 | 3 | 0.5 | 0.8 | 2 | 3 | 2 | 12 |
| 森林 | 74 | 68 | 60 | 37 | 63 | 69 | 63 | 60 |
| 主要湖沼 | 0 | 1 | 0 | 0 | 1 | 1 | 0 | 3 |
| 可住地 | 24 | 28 | 39 | 62 | 34 | 27 | 35 | 25 |

出所：e-Statより集計

1）北方4島を除く

2）「十勝局」は帯広市を除く十勝総合振興局の18町村をいう。（以下同じ）

3）「釧路局」は釧路市を除く釧路総合振興局の7町村をいう。（以下同じ）

### 2）日常生活からみた土地利用

前節の自然環境を反映した土地利用区分に続き本節では，町民の日常生活から自然環境に手を加えた結果としての土地利用区分について概観する。図表2-3は，固定資産税概要調書（土地）に基づいた地目別（宅地，田，畑，山林，その他）に課税地と非課税地を合計したそれぞれの割合をグラフにしている。図表2-2の可住地は，概要調書における宅地，田，畑，その他の一部の土地が該当する。また，図表2-2の林野面積は，概要調書における一般山林のほか，課税評価上「雑種地」など他の地目が含まれる。

北海道の土地利用は，都市化の影響が少なく，他の用途への転換の可能性も少ない純山林である「一般山林」が51％を占め，「一般畑」として12％が利用され，「一般田」が3％で，商業，工業，住宅として利用される「宅地」は2％に満たない。十勝局の土地利用は，「一般畑」の割合は北海道全体の割合を上回るが，「一般山林」の割合は北海道全体を下回る。隣接の釧路局は「その他」の地目が

**図表2-3　浦幌町の固定資産税評価上，山林割合が道内郡部の平均を上回る**

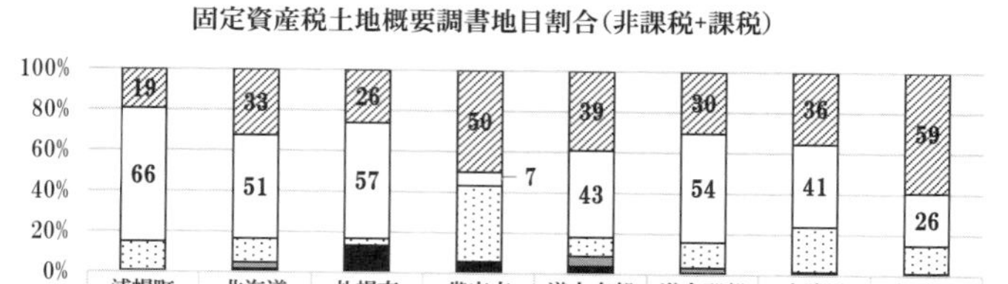

固定資産税土地概要調書地目割合(非課税+課税)

| | 浦幌町 | 北海道 | 札幌市 | 帯広市 | 道内市部 | 道内郡部 | 十勝局 | 釧路局 |
|---|---|---|---|---|---|---|---|---|
| その他 | 19 | 33 | 26 | 50 | 39 | 30 | 36 | 59 |
| 山林 | 66 | 51 | 57 | 7 | 43 | 54 | 41 | 26 |
| 畑 | 14 | 12 | 3 | 37 | 9 | 13 | 22 | 14 |
| 田 | 0 | 3 | 0.1 | 0.0 | 5 | 3 | 0.2 | 0.0 |
| 宅地 | 0.7 | 1.6 | 13 | 6 | 4 | 0.9 | 1.4 | 1.2 |

出所：総務省『2019年度固定資産概要調書』により集計

際立つ。「その他」は，駐車場や未利用宅地のほか，ゴルフ場やスキー場などの人為的に土地を開発した「雑種地」も含むが，公園，湖沼，草原などを含み，釧路局は，図表2-2で主要湖沼に該当する摩周湖，阿寒湖，屈斜路湖のほか，釧路湿原など国立公園に指定された区域内が多いことによる。

こうしたなかで，浦幌町は，「宅地」は0.6%，「一般田」はなく，「一般畑」が14%，「一般山林」が66%である。酪農を含めた農業生産が盛んな十勝局のなかではやや異なる土地利用区分である。「一般田」と「一般畑」を加算した農地割合は道内78位である。

図表2-4は，図表2-3のうち，固定資産税の課税地に着目した地目別の評価地積の行政区域全体に対する割合をグラフにしている。

非課税地は，公園や道路のほか国や地方公共団体が管理所有する土地のすべてを含み，北海道全体で非課税地は64%を占め，都道府県でのその割合は富山県の68%に続くが，非課税地の面積は圧倒的に多い。

図表2-3は「その他」の地目を除いて納税者が所有する土地は

**図表2-4　土地の固定資産税評価地目別割合で浦幌町は山林割合が多い**

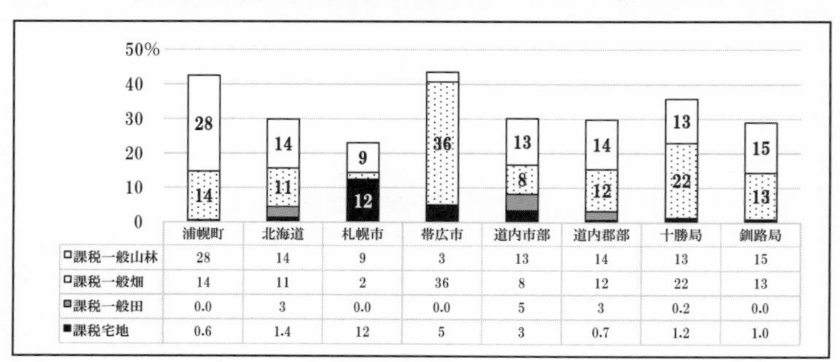


| | 浦幌町 | 北海道 | 札幌市 | 帯広市 | 道内市部 | 道内郡部 | 十勝局 | 釧路局 |
|---|---|---|---|---|---|---|---|---|
| □課税一般山林 | 28 | 14 | 9 | 3 | 13 | 14 | 13 | 15 |
| □課税一般畑 | 14 | 11 | 2 | 36 | 8 | 12 | 22 | 13 |
| ■課税一般田 | 0.0 | 3 | 0.0 | 0.0 | 5 | 3 | 0.2 | 0.0 |
| ■課税宅地 | 0.6 | 1.4 | 12 | 5 | 3 | 0.7 | 1.2 | 1.0 |

出所：総務省『2019年度固定資産概要調書』により集計

50％以下であることを示している。そうしたなかで，浦幌町の課税地の「一般山林」が28％を占めていることは，他の地域に較べて林業が盛んであることを推測させる。

北海道以外に住む多くの人は，「十勝地方」と言えば，酪農を中心とした乳製品の宝庫で，最近はスイーツやパンなどもイメージする。と同時に，十勝局の「一般山林」と「その他」を合わせた面積は，北海道の14振興局のなかで最も広く，浦幌町はその一画を占める緑豊かな空間となり，町全体として温室効果ガス$CO_2$を吸収する循環型社会での役割を担って余りある。今後も広大な山林を育成保全していくために，町としての林業政策とともにそのアピールも重要である。

## 3. 生活

### 1）人口の変化

2021年11月末，2020年国勢調査の基本調査結果確報が公表された。日本全体では，2020年10月1日現在の人口は1億2,614万6千人で，2015年と比べると94万9千人減少（0.7％減）した。全国1,719市区町村（「区」は東京特別区で政令市の区は含まない。）のうち，82.5％に当たる1,419市町村の人口が減少し，2015年以降5％以上の減少は882市町村と51.3％に及んだ。こうした中で，北海道は522万4,614人で157,119人減少（2.9％減）し，浦幌町は4,387人で532人減少（10.8％減）となった。

ただ，人口減少だけを問題視しても，市町村の人口動態の特徴は分からない。そこで，5歳ごとに年齢区分した世代を同じグループとして，それぞれの世代グループが5ヵ年でどう変化したかを比較する。

図表2-5は，浦幌町，北海道，札幌市，帯広市，十勝局と釧路局における1975年10月から1980年9月に生まれ，2020年10月1日現在25～29歳の年齢層について1980年10月1日以降の増減を示している。図表2-5では，1980年国勢調査時点で0～4歳の人口を100として，5年ごとに同年齢層の人口を指数にしてグラフに表している。

具体的には，浦幌町の1980年10月1日で0～4歳の人口663人を指数「100」として，2000年10月1日の20～24歳に191人で指数は「29」になり，2020年10月1日の40～44歳に197人で指数は「30」になったことを示している。注目すべき点は，この間，2000年から2005年，20～24歳から25～29歳のなった時点で191人から224人に増加して指数は「29」から「34」に5ポイン

**図表2-5　浦幌町は0歳～24歳までは転出者が多いが25歳～29歳に転入割合が多い**
**1980年国勢調査時点で0～4歳の人口＝100**

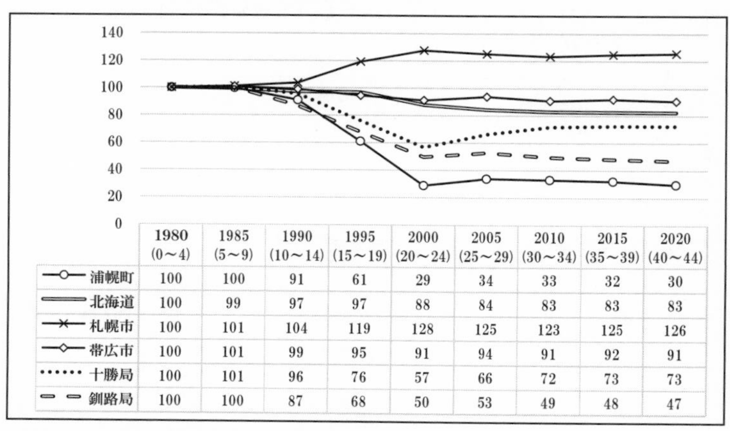


| | 1980 (0～4) | 1985 (5～9) | 1990 (10～14) | 1995 (15～19) | 2000 (20～24) | 2005 (25～29) | 2010 (30～34) | 2015 (35～39) | 2020 (40～44) |
|---|---|---|---|---|---|---|---|---|---|
| 浦幌町 | 100 | 100 | 91 | 61 | 29 | 34 | 33 | 32 | 30 |
| 北海道 | 100 | 99 | 97 | 97 | 88 | 84 | 83 | 83 | 83 |
| 札幌市 | 100 | 101 | 104 | 119 | 128 | 125 | 123 | 125 | 126 |
| 帯広市 | 100 | 101 | 99 | 95 | 91 | 94 | 91 | 92 | 91 |
| 十勝局 | 100 | 101 | 96 | 76 | 57 | 66 | 72 | 73 | 73 |
| 釧路局 | 100 | 100 | 87 | 68 | 50 | 53 | 49 | 48 | 47 |

出所：総務省『国勢調査』より集計

ト増加している点である。帯広市，十勝局，釧路局においても25～29歳で増加し，北海道全体と札幌市では減少している。

北海道全体での1980年10月1日で0～4歳の人口は，5年ごとの国勢調査で減少し，なかでも1995年の「97」から2000年の「88」への減少が大きい。これは，高校卒業して大学入学の時期，大学卒業して就職の時期が転出の大きな要因になっていると推測できる。札幌市は20～24歳までは増加し，25～34歳は減少，その後増加に転じている。20歳～24歳まで増加が続いていることは高校や大学入学に伴う転入の影響が大きく，25歳～29歳で就業機会を札幌市外や道外に求める結果，転出者が多くなったが，30歳代の2010年代に都市回帰が進んだことを物語っている。

図表2-6は，1975年10月以降2015年9月までに生まれた5歳ごとの世代について，浦幌町における生年後の人口推移を示している。グラフからいずれの世代も25～29歳で人口が増加し，その世

**図表2-6　浦幌町の25歳～29歳の転入人口の増加割合は以前から他の市町村を上回る**

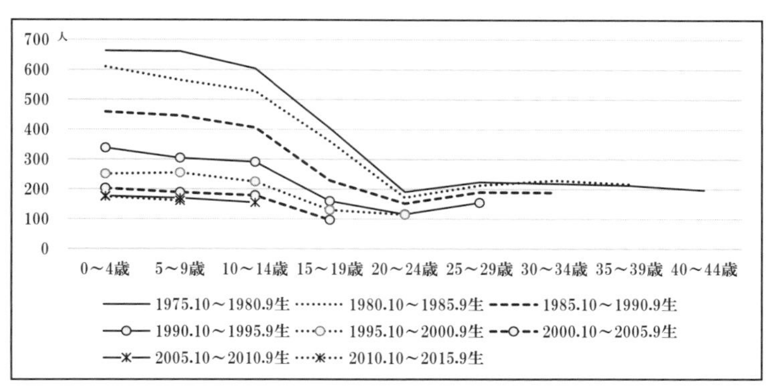


出所：総務省『国勢調査』より集計

代は200人前後の就業機会があることが分かる。

図表2-7は，1985年以降2020年までの国勢調査において，それぞれの地域で25～29歳人口が5年前の20～24歳時の国勢調査人口に較べた増減率をグラフにしている。増減率は，北海道全体，札幌市，釧路局は一貫してマイナスである。浦幌町は，2020年は34％増加で，北海道内179市町村で23位，道内郡部144町村でも23位である。全国で人口減少が続く市町村の多くは25～29歳人口も5年前に較べて減少していることから，25～29歳での人口増加が恒常的になっている浦幌町や帯広市の十勝地方は人口減少が進む地域の中では異なる傾向を示している。

**図表2-7　浦幌町の25～29歳人口の転入割合は2000年以降他の地域よりも多くなった**

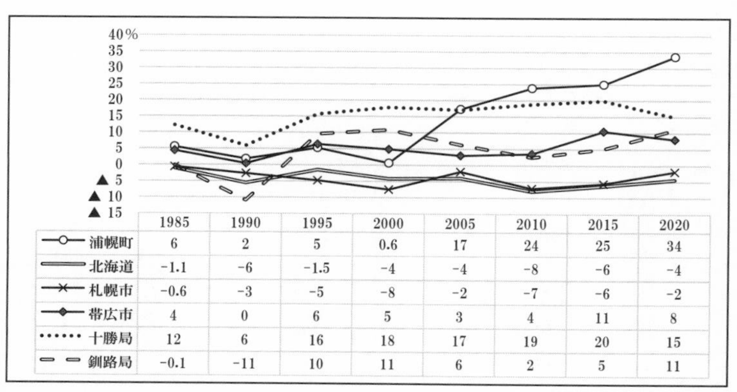


| | 1985 | 1990 | 1995 | 2000 | 2005 | 2010 | 2015 | 2020 |
|---|---|---|---|---|---|---|---|---|
| 浦幌町 | 6 | 2 | 5 | 0.6 | 17 | 24 | 25 | 34 |
| 北海道 | -1.1 | -6 | -1.5 | -4 | -4 | -8 | -6 | -4 |
| 札幌市 | -0.6 | -3 | -5 | -8 | -2 | -7 | -6 | -2 |
| 帯広市 | 4 | 0 | 6 | 5 | 3 | 4 | 11 | 8 |
| 十勝局 | 12 | 6 | 16 | 18 | 17 | 19 | 20 | 15 |
| 釧路局 | -0.1 | -11 | 10 | 11 | 6 | 2 | 5 | 11 |

出所：総務省『国勢調査』より集計

### 2) 働く人たち

2020年国勢調査による就業状態等基本統計は公表されていないので（2022年5月から12月に公表予定），2015年国勢調査によって浦幌町の就業構造を考える。

図表2-8は，2015年国勢調査による「他地域からの通勤者数」と「他地域への通勤者数」の比率である。「他地域からの通勤者数」を「他地域への通勤者数」で割った比率が100より多ければ，その市町村では自地域での労働需要が自地域の労働者数を上回る。逆に100よりも小さければ，他市町村に通勤して働いている住民が多いことを示す。図表2-8では，帯広市が最も多く，十勝局18町村平均は79と低い。これは，十勝局内のいくつかの町村は帯広市で働いている人が多いことを示唆する。それに対して，浦幌町は138と高い値となっていることは，他市町村から通勤している人によって労働力を補っていることになる。この点から，浦幌町は，人口は減少しているが，人口規模以上の経済力を有していることを推測させる。また，浦幌町は，日常生活において帯広市の生活圏に入

**図表2-8　他の市町村から浦幌町に通勤する人が浦幌町から他の市町村に通勤する人よりも多い**

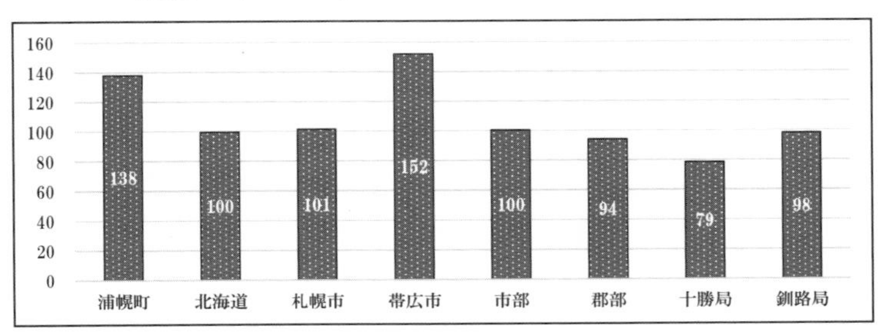


出所：総務省『国勢調査』より集計

図表2-9　浦幌町は高齢者で働く人の割合が多い

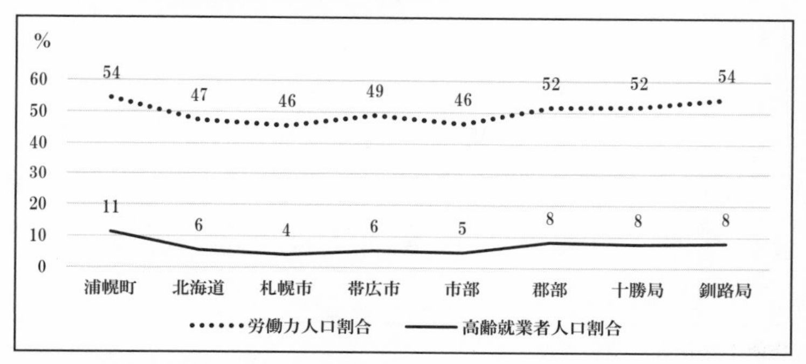


出所：総務省『国勢調査』より集計

っていないことも示す。

図表2-9は，2015年国勢調査結果において，市町村人口に対する65歳以上の高齢者で働く人の割合（高齢者就業割合）と市町村で働いている人の割合（労働力人口割合）をグラフにしている。労働力人口割合が郡部で高く，市部で低いことは，郡部の少子高齢化が市部よりも進んでいることを示す。浦幌町の高齢者就業人口割合は11％と高い。ほぼ，町民10人に1人は高齢者で働く人である。高齢者ではほぼ3人に1人が働いていることになる。図表2-9で対象とした他の地域を上回る。この点から，浦幌町は元気な高齢者の割合が多いことも推測できる。

図表2-10は，高齢者就業割合（＝高齢者就業人口／就業人口）を縦軸，市町村は第一次産業就業人口割合（＝第一次産業就業人口／就業人口）を横軸にしてグラフ化している。両者の相関が0.6であり，高齢者就業割合が高い市町村は第一次産業就業人口割合も高い市町村に多いことを図表2-10は示しているが，因果関係を決定づけることはできない。ただし，一般論として，第一次産業の就労には定

**図表2-10　第一次産業就業人口割合が多い市町村は高齢者内就業割合が多い**

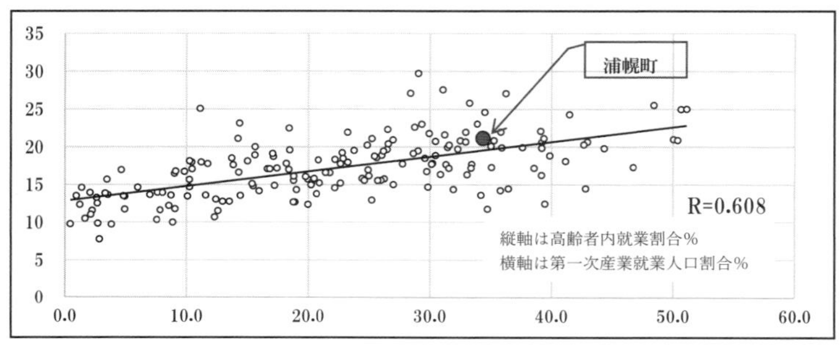


出所：総務省『国勢調査』により作成

年という区切りはない場合が多く，健康が許せば働くことができることに起因しているとも言える。浦幌町の第一次産業就業人口は34%で北海道179市町村のうち32位，高齢者就業割合は21%で道内24位である。

## 4. 経済活動と財政

### 1）個人町民税から経済活動を推測

以上により，浦幌町は緑豊かな地域で，日常の生活圏は独立していることがデータから示唆された。本節では，そうした日常生活を支える経済活動と町政について一端を見ていきたい。

図表2-11は，2011～2020年での市町村民税の所得割納税者の年間平均所得（千円／人）をグラフにしている。2011年の東日本大震災後の景気停滞の影響を受けて2012年度の課税対象所得は落ち込んだが，2013年度以降は回復している。中でも，十勝局と浦幌町の伸び率は大きく，個人町民税所得割の納税者の平均所得は，2016年度以降札幌市と肩を並べる水準になっている。これは，町

**図表2-11　浦幌町の町民税所得割納税者の平均所得は2015年度以降伸び率が大きい**

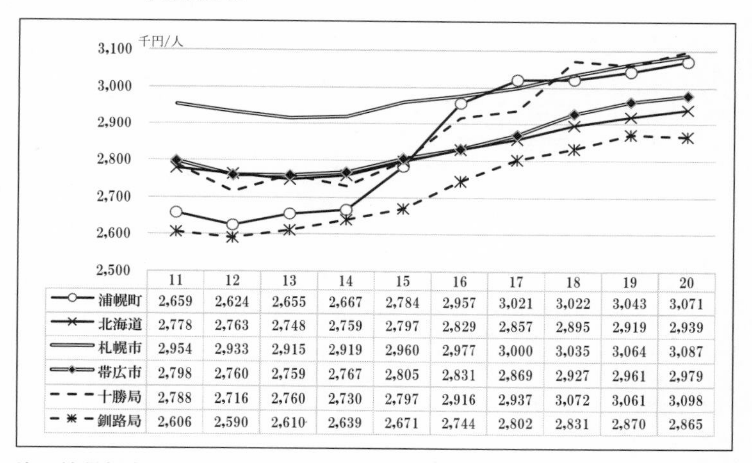


| | 11 | 12 | 13 | 14 | 15 | 16 | 17 | 18 | 19 | 20 |
|---|---|---|---|---|---|---|---|---|---|---|
| 浦幌町 | 2,659 | 2,624 | 2,655 | 2,667 | 2,784 | 2,957 | 3,021 | 3,022 | 3,043 | 3,071 |
| 北海道 | 2,778 | 2,763 | 2,748 | 2,759 | 2,797 | 2,829 | 2,857 | 2,895 | 2,919 | 2,939 |
| 札幌市 | 2,954 | 2,933 | 2,915 | 2,919 | 2,960 | 2,977 | 3,000 | 3,035 | 3,064 | 3,087 |
| 帯広市 | 2,798 | 2,760 | 2,759 | 2,767 | 2,805 | 2,831 | 2,869 | 2,927 | 2,961 | 2,979 |
| 十勝局 | 2,788 | 2,716 | 2,760 | 2,730 | 2,797 | 2,916 | 2,937 | 3,072 | 3,061 | 3,098 |
| 釧路局 | 2,606 | 2,590 | 2,610 | 2,639 | 2,671 | 2,744 | 2,802 | 2,831 | 2,870 | 2,865 |

注：納税年度別の集計であるため，当該納税年度の前年（暦年）の所得である。また，西暦の末尾2桁を表記している。以下の図も同じ。
出所：総務省「市町村税課税状況等の調」

が活性化していることでもあり，図表2-7の25～29歳人口の伸び率が大きいのにも符合している。2020年度課税対象となる浦幌町の平均所得は，北海道179市町村で37位，十勝局18町村で11位である。なお，図表2-11の注書きのとおり，総務省公表値の集計は，課税年度の対象所得であることから，納税者の所得獲得時は課税年度の前年（1～12月）である。

図表2-12と図表2-13では，浦幌町で2015年以降の個人町民税所得割納税者の所得を押し上げた原因を探るため職種別に納税額の推移を比較した。

図表2-12は浦幌町の個人町民税の納税額を納税者の職種別に表している。職種は，「給与所得者」，「営業等所得者」，「農業所得者」，

図表2-12　浦幌町の個人町民税納税額は給与所得者が最も高く，農業所得者の伸びが最も大きい

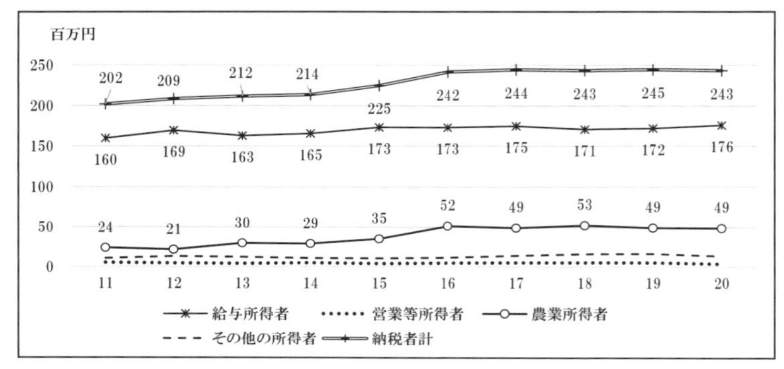


注：個人町民税に「退職金に係る税」と「滞納税額」等を含まない。
出所：総務省「市町村税課税状況等の調」，「地方財政状況調査」

「その他の所得者」と「家屋敷等のみ」の5分類で，浦幌町に「家屋敷等のみ」に当たる納税該当者はいない。「営業等所得者」は製造業，卸売業，小売業，サービス業，漁業やその他の事業からの所得を主とする納税者で，「農業所得者」は農業からの所得を主とする納税者である。「その他の所得者」には給与，営業等，農業以外から主たる所得を得ている納税者で，利子所得，配当所得，不動産所得を主とする納税者等を含む。

図表2-12のように個人町民税の納税総額は「給与所得者」からの納税額が最も多い。ただし，2011年度は個人町民税収入済総額202百万円の79％を占めていたが，2020年度は243百万円の72％に減った。これに対して「農業所得者」からの納税額は2011年度から2020年度で納税額は24百万円から49百万円になり2倍以上増え，総額に占める割合は12％から20％になった。

図表2-13は，職種別の納税者一人当納税額の推移を表している。

**図表2-13　浦幌町の個人町民税納税者一人当納税額は農業所得者が最も高く，伸びが著しい**

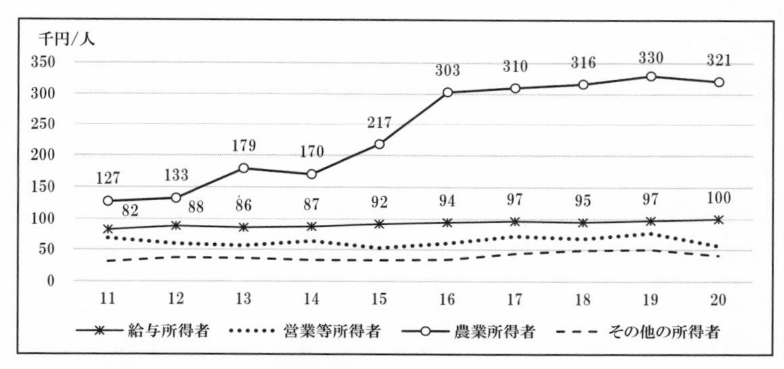


出所：総務省「市町村税課税状況等の調」

職種別の納税者一人当納税額は，職種別の個人町民税総額をそれぞれの納税者（均等割の納税者）で除した値である。この結果，「農業所得者」の一人当納税額が最も高く，なかでも2015，2016年度の伸び率が際立っていて，「農業所得者」の一人当所得は2014年から他の職種を凌いでいることが分かる。下記のように，それぞれの職種の納税者数は2011年度から2020年度にかけて「農業所得者」の減少割合が最も多い。こうした「農業所得者」の減少にも関わらず所得水準が上昇したのは，2014年度からというよりもそれ以前から農業分野における改良が進められたものと推測する。

| | | | | |
|---|---|---|---|---|
| 給与所得者 | 1,940人 | ⇒ | 1,760人 | 9%減 |
| 営業等所得者 | 75人 | ⇒ | 65人 | 13%減 |
| 農業所得者 | 185人 | ⇒ | 153人 | 17%減 |
| その他の所得者 | 342人 | ⇒ | 329人 | 9%減 |

## 2）歳入の推移から経済活動を推測

市町村の歳入において，地方税（道税を除く市町村税。以下同じ。）は市町村財政における自主財源の根幹で，その推移は当該市町村民の経済活動の結果である。図表2-14は，2011～2020年度の10年間における地方税の推移で，2011年度の収入を100として図示した。各地域ともに，2011年の東日本大震災の影響を受けた2012年度は下落したが，その後は右肩あがりで，なかでも，浦幌町は順調に増加し，2020年度までの10年間の上昇率は札幌市と同じく120で，20%の上昇を示している。

図表2-15では，地方税の内訳を個人市町村民税，法人市町村民税，固定資産税とその他に分けて，浦幌町の地方税についてその推移を図示した。4つの税のうち，固定資産税収入が最も多く，この間の増加額も多いことが分かる。固定資産税は，土地，家屋と償却資産が課税対象で，個人は土地と家屋，法人は土地と家屋と償却資産の納税義務者となる。

**図表2-14　浦幌町の地方税（市町村）収入の伸び率は札幌市に比肩する**

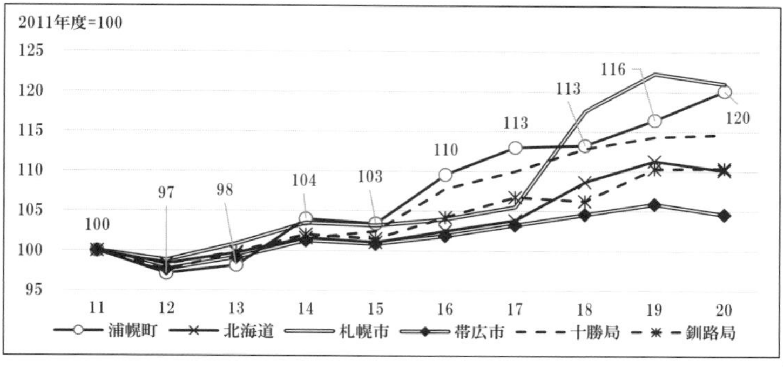

出所：総務省「地方財政状況調査」より集計。以下，図表2-21まで同じ。

**図表2-15　浦幌町では直近10年間で固定資産税が最も上昇している**

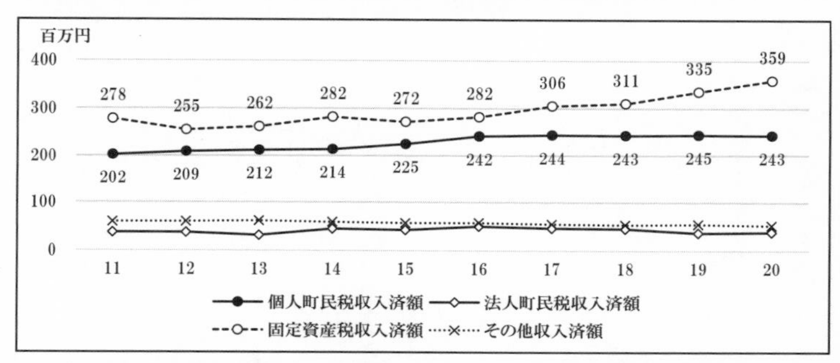


注：個人町民税収入済額は「退職金に係る納税額」，「滞納税額収入」等を含み図表2-12の個人町民税よりも多い。

図表2-16は，浦幌町の固定資産税収入額の推移を土地，家屋と償却資産に係る収入額の別に示している。図から，償却資産の上昇が最も大きい。固定資産税の対象となる償却資産は，土地及び家屋以外の事業の用に供することができる有形資産で，減価償却費が法人税法又は所得税法によって必要経費に算定される資産である。工場の機械類は勿論，事務所での事務機器，農業での農機具やトラクタやビニールハウス等，林業での工具，漁業での船舶，保冷庫や民間所有の護岸施設等，多くが該当する。したがって，償却資産に係る固定資産税が増えることは新規投資等により経済活動が活性化を図った結果でもある。図表2-16は，経済活動が2015年度頃から活発になってきたことを推測させる。

図表2-17では，2011年度の償却資産に係る固定資産税収入額を100として各年度の収入額を指数化し，浦幌町と他の地域と比較している。図が示すように浦幌町の上昇の程度は他の地域を凌いでいることが分かる。浦幌町での新規投資が増加し，経済活動が活発になっていることを示唆している。

図表2-16　浦幌町では償却資産に係る固定資産税の上昇率が大きい

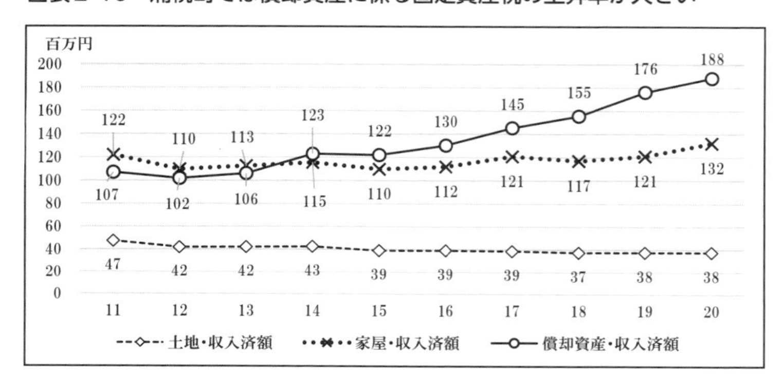


図表2-17　浦幌町の償却資産に係る固定資産税の上昇率は他地域を凌ぐ

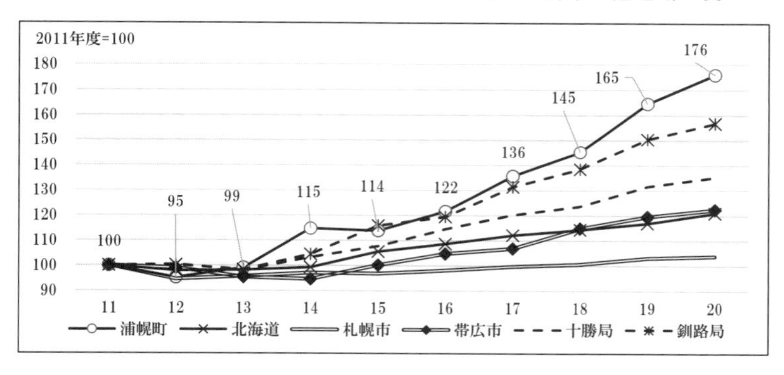


## 3）歳出の推移から経済活動を推測

こうした新規投資が行われた背景を町財政の歳出面から探ってみよう。

歳出を目的別歳出と性質別歳出に分けることによって，歳出と政策目的との整合を図るとともに，決算後の評価，確認し易くする。目的別歳出は，総務費，民生費，衛生費，土木費，消防費，教育費，公債費，その他（議会費，労働費，商工費等）に分類され，性質別歳出は，消費的支出として人件費，物件費，扶助費など，投機的支出として普通建設事業費，災害復旧事業費が該当する。本節では，目的別歳出のうち農林水産業費と民生費に着目する。農林水産業費は上記で述べてきたように，農業は浦幌町の基幹産業であり，林業は町の66％を占める「一般山林」に対しての町の取り組みを歳出面から見るためである。民生費は，社会保障政策を担う予算の一項目で，人口減少とともに少子高齢化が進む日本の市町村の目的別歳出で最も高い割合であるなか，浦幌町の少子高齢化対策の一端を見る。

農林水産業費は，農業費，畜産業費，農地費，林業費と水産事費から成る。図表2-18は農林水産業費の総額，図表2-19は農林水産業費のうち農業費，畜産業費と農地費を加算した農業関係費，図表2-20は農林水産業費のうち林業費についてそれらの2011～2020年度の推移を道内郡部，十勝局内18町と釧路局7町村それぞれの総額を2011年度＝100とした指数で表している。これら図において，浦幌町は，道郡部，十勝局，釧路局を上回る年度が多く，2010年度代は財政においても農林業に強力な後押しがあったことが伺える。こうした点から，図表2-11で示したように浦幌町の所得割納税者の平均所得が高いこと，更には，図表2-7に示した25～29歳人口が継続して転入増になっていると考えられる。その結果として，図表2-14に示したように最近の地方税収入の増加にも結び付いていると推測できる。2019年度から森林環境譲与税が始まり，2024年度からは国税として個人地方税均等割と同じ様に1人年額1,000円を賦課することが決められており，国民ひとり一人が森林保護を推進する仕組みが創られつつある中にあって，浦幌町における今後の林業の役割が大きくなることを期待できる。

図表2-18　浦幌町の農林水産業費の伸び率は他の地域を上回っている

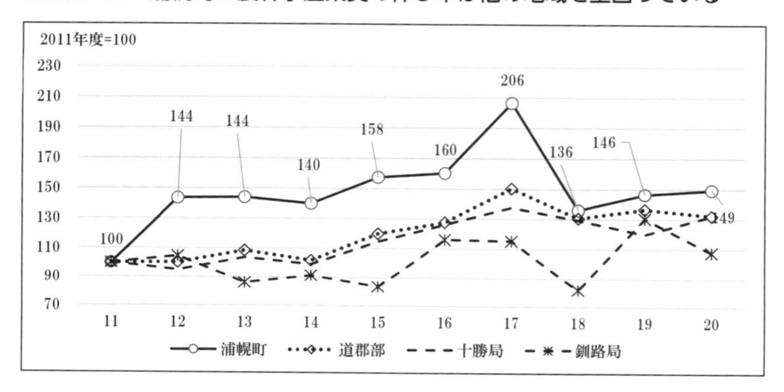


図表2-19　浦幌町の農林水産業費のうち農業関係支出は高い率で伸びている

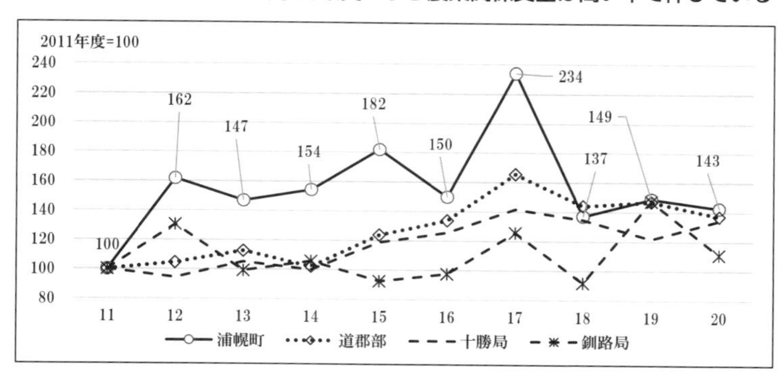


最後に，町政における社会保障政策として民生費の推移に着目する。

図表2-21は住民一人当たり民生費の歳出額の推移を表している。2011～2016年度はすべての地域で横ばいないし微増しているが，浦幌町は2018，2019年度に伸び率が大きくなり，2020年度

## 図表2-20　浦幌町の農林水産業費のうち林業関係支出も高い率で伸びている

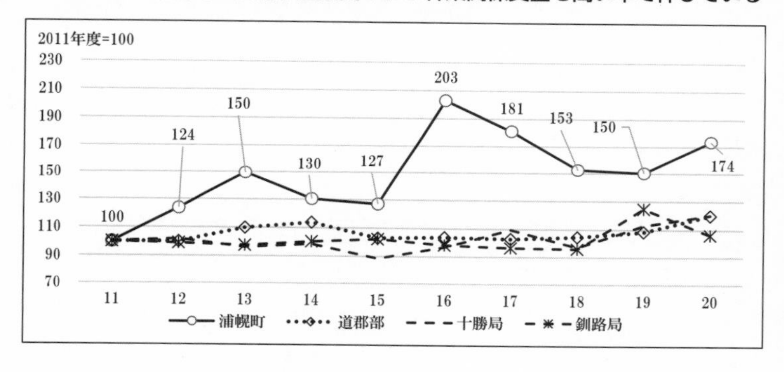


## 図表2-21　浦幌町の一人当民生費は他地域よりも多く2018年度以降の伸びが大きい

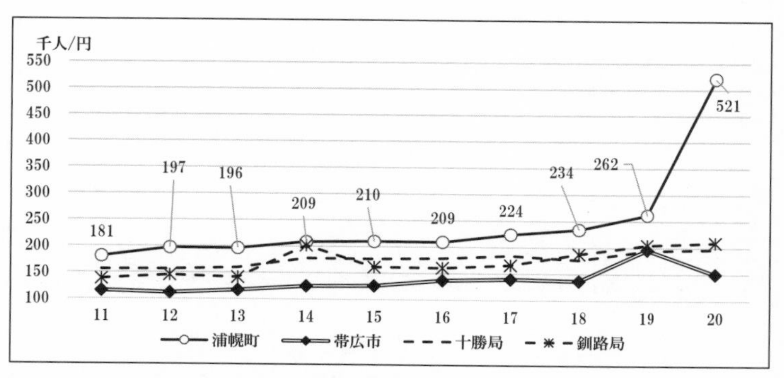


出所：総務省「地方財政状況調査」,「住民基本台帳調」

に急増した。浦幌町の各年度一人当たり民生費が他地域を上回り，2020年度に急増したことは，民生費の内訳として老人福祉費と児童福祉費の推移から説明できる。なお，民生費は老人福祉費，児童福祉費のほか，社会福祉費，生活保護費と災害救助費からなるが，

**図表2-22　浦幌町の一人当老人福祉費は他地域よりも多い**

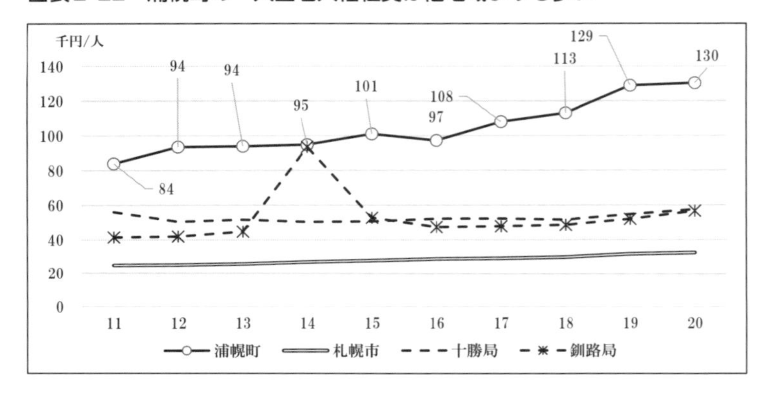


**図表2-23　浦幌町の一人当児童福祉費は他地域と同程度で推移し2020年度に急増した**

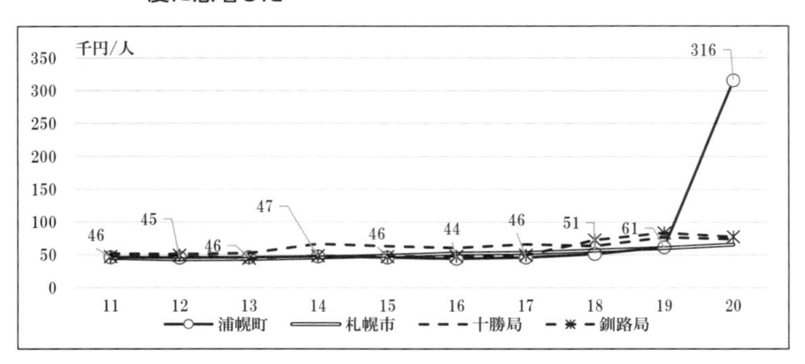


町村の生活保護費は都道府県の歳出となり，災害の有無による災害救助費は恒常的な予算ではないことから，図表2-21の民生費は老人福祉費，児童福祉費と社会福祉費の合計額としている。

図表2-22は住民一人当たり老人福祉費，図表2-23は住民一人当たり児童福祉費の推移である。浦幌町の老人福祉費は他地域より

も高い歳出額で推移している。一人当たりの児童福祉費は全国的に大きな差がないのが一般的であるが，図の浦幌町も2019年度までは他地域とほぼ同額で推移している。それは2020年度に急増したのは『認定こども園舎』の建設に係る支出と思われる。

## 5.「うらほろ度指数」の作成

### 1)「うらほろ度指数」を構成する指標

北海道十勝の自然環境に抗うのではなく，優しく受け入れながら日々の生活を営んでいる浦幌町は，町の人々の心の温かさが感じられる環境を生み出している。

本節はこの章の結びとして，自然環境を取り入れ，優しい環境を育んできた背景を本章第1節から第3節まで展開した様々な状況を「うらほろ度指数」として数値化する。「うらほろ度指数」を構成する指標は次の10指標を用いる。これら10指標により，本章冒頭にように，豊かな「自然環境」を維持しながら毎日営まれる人々の「生活」と「産業」と，それを支える「財政」を数量的に組合せた人や環境に優しく暮らす指標「うらほろ度指数」を作成する。

#### ①「一般山林課税対象地割合」

「一般山林」とは純山林をいい，宅地化や農地化の影響が低く，林業経営が行われている林地とそれに類する林地である。このような「一般山林」を固定資産税の課税対象地と非課税地に区分し，前者の町全体の地積に対する割合を図表2-3及び図表2-4で表した。浦幌町の「一般山林課税対象地割合」が高いことは，民間事業などによる人の手によって自然環境に育まれた土地利用が営まれていることを示す指標になっている。

浦幌町の「一般山林課税対象地割合」は28%で，道内179市町村で24位である。

**②「一般田及び一般畑の課税対象地割合」**

「一般田」と「一般畑」とは純農地をいい，市街化区域内農地や転用許可を得た転用前の農地を除いた土地である。「一般田及び一般畑の課税対象地割合」は，農業を営み収益を得ている土地の割合である。

浦幌町には「一般田」はなく，「一般田及び一般畑の課税対象地割合」は「一般畑」のみの14%で，道内市町村78位である。

**③「2020年国勢調査で25～29歳人口」の「2015年国勢調査で20～24歳人口」に対する増減率**

図表2-5で示したように，札幌市など多くの大学等が立地する大都市は，20歳前後の人口が増加し，数年後に25歳前後に達した人口を吸収できる就業機会がなければ人口は減少する。逆に，20歳前後の人口は減少するが，就業機会とともに魅力もある地域は，25歳前後の人口を吸収できる。しかし，就業機会が限られる地域は減少の一途になり，過疎化を早める。

図表2-6と図表2-7は，こうした点に着目して，1995年10月から2000年9月に生まれた世代の人口について，2015年国勢調査時点から2020年国勢調査時点での増減率を比較した。浦幌町は，第2節で調べた1985年国勢調査以降「25～29歳人口」はその5年前に較べて増加し，2020年国勢調査では34%の増加率で，道内市町村23位である。

**④ 高齢者就業人口の割合**

浦幌町の2020年国勢調査で65歳以上の高齢者割合は43%と高い。しかし，図表2-5の説明で示したように，高齢者のほぼ3人に1人，30%が就業し，道内市町村25位である。こうした割合が高ければ，生涯就業で，健康維持できる環境が育まれていることを示す。

### ⑤ 個人町民税の所得水準

図表2-11で示したように浦幌町の2020年度個人町民税算定基礎となる所得割納税者の平均所得は3,071千円で，道内市町村39位である。また，2011年の課税対象所得2,659千円から2020年までの伸び率は15.5%で，道内市町村29位である。

### ⑥ 地方税（市町村税）収入の伸び率

図表2-14で示したように浦幌町の地方税（市町村税）の収入額は，2011年度を100とすると2020年度は120となり，20%伸びている。道内市町村で24位である。これは，上記④の個人所得が伸びたことによって個人町民税収入の伸びもあるとともに，固定資産税，なかでも，償却資産に係る固定資産税収入の増加が寄与している。

### ⑦ 償却資産に係る固定資産税収入の伸び率

償却資産に係る固定資産税収入の推移は，市町村における法人，団体や個人等が事業を営む活力を表すひとつの指標になる。図表2-17で示したように浦幌町の同収入額は2011年度を100として2020年度は176と76%の伸び率で，道内市町村で20位である。

### ⑧ 浦幌町の歳出のうち農業関係費の伸び率

図表2-18で示したように浦幌町の歳出における農林水産業費は2010年度代前半から半ばに高い伸び率を示している。2018年度以降歳出額は減少したが，2011年度を基準とすれば2020年度は49%の伸びとなっている。このうち，農業費，農地費と畜産業費に係る歳出を積み上げた歳出額の推移が図表2-19であり，2017年度には2011度比で2倍以上，2020年度は43%の伸びとなり，2020年度は道内市町村46位である。

⑨ 浦幌町の歳出のうち林業費の伸び率

図表2-20で示したように浦幌町の歳出における林業費も2010年度代前半から半ばに高い伸びを示し，2016年度は2011年度比で2倍，2020年度は74%の伸びで，道内市町村46位である。

⑩ 浦幌町の一人当たり民生費

図表2-21～23で示したように，浦幌町の民生費から見える社会保障の水準は決して低くない。「うらほろ度指数」に加えるに当たっては，町民一人当たり民生費が2020年度に急増している点を考慮し，2011～2020年度の平均値を用いる。10年間の一人当たり民生費の平均値は244千円で，道内市町村29位である。なお，民生費には，老人福祉費，児童福祉費のほか，社会福祉費，生活保護費と災害救助費が含まれ，市町村の実情で違いはあるが，全国的な歳出割合では，児童福祉費が最も多く，老人福祉費と社会福祉費がほぼ同水準で，生活保護費，災害救助費と続く。本節では，老人福祉費，児童福祉費と社会福祉費をもって民生費として計算した。

## 2)「うらほろ度指数」の結果

以上により選択した10指標について，北海道179市町村の順位を求め，その順位を合計した値を当該市町村の得点とする。順位は，10指標の値が大きいほど小さくなることから，10指標の合計値は小さいほど「うらほろ度指数」は高順位となる。そうして求めた結果が図表2-24である。

図表2-24は，郡部5町村，市部5市と札幌市を掲げている。「うらほろ度指数」の上位はその多くを町村が占め，道内1位は浦幌町である。市部でのトップは紋別市で，浦幌町と同じ十勝総合振興局に属する帯広市は道内105位で，市部では7番目に位置する。「うらほろ度指数」の順位が上位にあることは，環境と共生した生活や

**図表2-24　北海道179市町村における「うらほろ度指数」による順位：1位は浦幌町**

| 地域名 | 浦幌町 | 猿払村 | 興部町 | 幌加内町 | 幌延町 | 紋別市 | 北斗市 | 富良野市 | 帯広市 | 釧路市 | 札幌市 |
|---|---|---|---|---|---|---|---|---|---|---|---|
| 総合順位（179市町村中） | 1 | 2 | 3 | 4 | 5 | 18 | 73 | 81 | 105 | 145 | 160 |
| 下記項目順位の合計 | 372 | 426 | 463 | 485 | 512 | 620 | 831 | 873 | 934 | 1,101 | 1,164 |
| ①課税対象一般農地割合 | 78 | 97 | 75 | 99 | 84 | 108 | 55 | 64 | 22 | 128 | 164 |
| ②課税対象一般山林割合 | 24 | 11 | 14 | 147 | 122 | 4 | 15 | 142 | 164 | 73 | 131 |
| ③25～29歳人口増減率 | 23 | 16 | 7 | 32 | 31 | 36 | 122 | 116 | 85 | 136 | 119 |
| ④所得割納税義務者所得 | 39 | 1 | 6 | 25 | 18 | 50 | 157 | 125 | 56 | 113 | 36 |
| ⑤高齢者就業人口割合 | 25 | 24 | 72 | 13 | 54 | 91 | 143 | 74 | 135 | 171 | 167 |
| ⑥地方税（市町村税）収入伸び率 | 24 | 6 | 17 | 16 | 3 | 62 | 57 | 97 | 89 | 127 | 23 |
| ⑦償却資産固定資産税伸び率 | 20 | 87 | 80 | 72 | 6 | 15 | 28 | 84 | 76 | 54 | 112 |
| ⑧農業関係費歳出額伸び率 | 67 | 151 | 9 | 57 | 89 | 21 | 95 | 16 | 121 | 105 | 116 |
| ⑨林業費歳出額伸び率 | 46 | 24 | 87 | 16 | 60 | 96 | 26 | 23 | 25 | 34 | 138 |
| ⑩住民一人当民生費 | 26 | 9 | 96 | 8 | 45 | 137 | 133 | 132 | 161 | 160 | 158 |

注：民生費は老人福祉費，児童福祉費と社会福祉費の合計額を市町村人口で除した値での順位

産業が営まれ，行政がそれをバックアップしている構成が機能していることと考える。

また，郡部の上位5町村のなかで，浦幌町は選択した10指標の順位が最も高いのは「⑦償却資産固定資産税伸び率」の20位である。猿払村，興部町，幌加内町と幌延町はいずれも順位が1桁になる指標がある。言い方を換えれば，浦幌町は際立った点はないが，いずれも低い順位ではない。浦幌町の心の温かさ，穏やかさは，そうした点が大きく影響しているように思われる。勿論，心の温かさや穏やかさは数値化が難しい。敢えて数値化するならば，総合順位と個々の指標の順位の階差が少ないことではないだろうか。そうした階差の少ないことが気持ちのゆとりを生んでいるのではないか。

## 6. おわりに

国連の「World Happiness Report 2021」によれば，世界各国の幸福度は，1位フィンランド，2位デンマーク，3位スイスで，日本は56位である。上位3ヵ国の気候は温暖というよりも寒冷地であるが，景観に優れることから多くの人が一度は行ってみたいと思っている。幸福度は主観的なものであるが，経済力に優る国が幸福とは限らない。国連の幸福度調査項目に「一人当たり国民総生産」以外に「他人への寛容さ」がある。「寛容さ」は，順位を競うことでなく，結果として生まれる。「うらほろ度指数」はそんな寛容さを生み出す基盤となっているのではと思う。

# 第2編　産業

# 第3章　浦幌の農業

水野　勝之，水野　貴允

## 1. 農業

浦幌の主要産業は農業である。現在食料自給率が2,900％と言われている。その現代の農業の確立にいたるまで浦幌及び周辺の先人たちの並々ならぬ苦労が隠されている。特に北海度での農業は，未開の地の開拓から始まった。浦幌にしても雪が少ないもののまさに厳冬の地であり，家もままならない中開拓に入った人たちの過酷極まりない苦労であったであろう。一度でも冬季の北海道の地を踏んだ者であれば容易に想像がつく。筆者らだったら3日で，いや半日（もしくは1時間）で音を上げる。彼らの功績を讃えるためにもその開拓の苦労から現代の農業にいたるまでを見える化したい。

この章の歴史の記述大半は「浦幌町史」と「浦幌町百年史」のよるところが大きい（いずれも参考文献の欄を参照のこと）。（先人のご苦労に対しての）筆者らの怠惰を許されたい。浦幌（十勝や北海道）の開拓農業においてどんな課題があったのか，当初は何が生産されていたか，それがどのように変化していったか。寒冷に強く北海道の地になじむ農作物を見つけることによって，そして作り上げることによってようやく今の順調な農業につながったはずである。それには長い時間を要している。その様子をすべてここで網羅できないが，その一部を取り上げて浦幌の農業が形作られてきた歴史をたどりたい。

かつて一坪農園を経験した筆者が「浦幌町史」と「浦幌町百年史」に目を通させてもらったが，とてもではないが浦幌を開拓した人たちの立場になるのは難しいと感じた。ミカン畑跡を借りて8畳くらいの面積を自分の手で耕したが，それ以上はギブアップ（たとえ耕せても管理不能）。また，今のようにホームセンターに行けば土や肥料が手に入るわけではない，そして種や苗を買えば説明書で育て方がついてくるというわけではない。開拓をしながら何の農作物が適正なのか試行錯誤で探っていかなければならないという未知の段階から始まった。農業における北海道開拓を行った先人たちの貢献は計り知れない。

## 2. 農業に触れる前に（百年史pp.269-358，pp.415-419）

北海道の農業について語る時，まずは江戸時代までさかのぼる必要がある。江戸時代の1856年（安政3年），北海道(注3)の大半を江戸幕府が直轄地として治めていた。当時幕府は北海道への移民を奨励するなど，北海道の本格的開拓を開始した。倒幕後も明治政府はこの江戸幕府の方針を引き継ぎ，より一層の力を入れて積極的に北海道の開拓を進めた。

明治期以降の北海道の開拓移住者（除屯田兵，士族移住）の大きな流れは3期に分かれる。第1期は日清戦争及びその後の1894年（明治27年）－1895年の間，第2期は日露戦争前後の1904年（明治37

（注3）北海道については蝦夷と称するべきだが，本書は一般の読者のための本であるのでわかりやすく「北海道」のままとした。

年)－1905年の間，第3期は第1次世界大戦時の1912年（大正1年)－1916年（大正5年）の間であったという。

1886年（明治19年）に北海道庁が設置され，明治政府の開拓事業重視の姿勢が固まったが，第1期が始まる前の1887年（明治20年）時点で北海道全体への移住者は年間2万人に過ぎなかった。1888年（明治21年）から1889年にかけて北海道の地理，面積，土壌，植物，運輸状況，開拓に必要な事項が調査され，その結果29万ヘクタールの43か所の原野が有望な開拓地であることが分かった。この調査結果に基づく北海道庁の移住推進施策の遂行のおかげで，1894年（明治27年）には年間6万戸，1897年（明治30年）には年間7万戸の（北海道への）移住が実現した。それ以前はほとんど人のいない原野（晩成社(注4)や無願開墾者のみ）だった十勝地方にも，1896年（明治29年）の国道開通および土地開放以降多くの人が移住してきた。

1891年（明治24年）本州の濃尾平野で大震災が発生した。この被害が非常に甚大で，濃尾平野近辺だけでなく他の県にも大きな悪影響をもたらした。1895年（明治28年），1896年（明治29年）に本州では大凶作と洪水被害も発生した。これらの被害が重なり，福井，石川，福島，奈良などの各県の農民が北海道に多く移住してきた。浦幌町への移住者も福井，富山，石川，岐阜の各県出身者が多いという事実から，濃尾平野の地震や，その後の凶作などを嫌って移住してきた人たちが多かったことが分かる。

1892年（明治25年）の貸付地予定存置制度(注5)以降，「戸数が30

---

（注4）1882年依田勉三らが設立。北海道を開墾する会社。特に帯広を開墾。資本金5万円。

（注5）渡辺礼子「明治・大正期に砺波地方から北海道へ移住した人々の足跡を辿る」富山博物館HP（2022年1月30日確認）
http://museums.toyamaken.jp/documents/documents026/

戸以上の集団で1か年10戸以上ずつが移住する場合，1戸につき1万5,000坪（約5ヘクタール）の貸付地を3か年だけあらかじめ用意しておく」（渡辺礼子）措置が取られ，本土からの団体での移住が有利となった。そのため，各地の政治家，代議士，財閥，藩士などがこぞって移住者を募り，北海道各地の農場に送り込んだ。移住先では，移住前の地名をそのまま付けるケースも多かったようである。南幌町では「石川」「三重」，栗沢町では「岐阜」，美唄市では「福島団体」などである[注6]。

貸付地予定存置制度の下での浦幌の農場としては，土田兼吉の土田農場（1896年（明治29年）より開墾開始），熊谷泰造の熊谷農場（1896年開設），坂東勘五郎の坂東農場（開設年不明，のちの森農場），大野亀三郎の岐阜農場（1894年（明治27年）創設）などがあげられる。1895年（明治28年）河合長平という人物が岐阜農場開設のために事前に土地の調査を行った[注7]。これら各農場に入った移住者以外にも，浦幌川をさかのぼって常室，下頃辺に入地した移住者もいた。熊谷農場の特徴は単独移住者の足溜まり（しばらく足を止めるという意味。行動拠点，一時的居場所）の役割のみであったことである。他方，土田農場や岐阜農場はそこに来た移住者に対して一時的居場所の役割だけでなく，教育の役割も果たした。両農場において，本土からの移住者は北海道の農業技術を学んだり，馬の飼育の仕方を学んだ。これらの技術や知識を習得したのち，彼らは単独移住者としてより奥地の開拓に進んでいった。このように，明治中期の入植は，屯田兵の開拓の跡地を入植団体が活用するというよりも，団体

---

（注6）坂田資宏「開拓と土地」（2022年1月30日確認）
https://thesis.ceri.go.jp/db/files/GR0001900592.pdf

（注7）本段落については百年史p.336に基づく。専門的な記述については，原文をほぼ引用しながら説明した。

入植後あるいは個人での入植後，自分たちで切り開いて行くというパターンが多かった。

入植者にとって北海道の自然は本州のそれと大きく異なっていた。（百年史p.338によれば）1897年（明治30年）3月当時の大津に上陸したメンバーが土田農場を目指した。石川県，富山県からの91戸800名のメンバーであった。十勝太を目指し，海岸沿いを歩いたのち，十勝川から浦幌川の氷上を歩いて土田農場に到着した。その際，凍りついていた川を通りながら，それを整備された道路と勘違いし，「さすが北海道」と感嘆したという逸話もある。

当初の農作業では，移住民がすぐにしっかりした住居を確保できたわけではない。移住民はまず掘っ立て小屋を建てて住み込む。家畜を使って耕すこともできず，最初は人の手でのこぎり，かま，くわを使って，住んでいる掘っ立て小屋の周りから開墾を始める。樹木や下草との戦いを強いられたが，その戦いの中でもっとも厄介なひとつだったのはササだった。のこぎりやまさかりで大木を倒し，それを集めてササを燃やしたという。ササを刈るのは「血のにじむような努力と，気が遠くなるような忍耐が必要だった」（百年史p.335）という。

現在北海道はそばの名産地である。新得ソバなど北海道の多くの箇所でソバが名物となっている。実は粟稗を入地の最初の段階で育成しようとしたが，それらは北海道の土地には適さなかったらしい。そこで北海道の土地に適したものが作られるようになった。それがソバであった。そのソバこそ救世主であり，移住者の天敵であったササの根を枯れやすくした。しかも短期間で収穫できるという特性もあり，北海道ではソバの育成が広がった。

農業において，入地直後でまだ馬が活用されなかったときは，畑に筋を入れるのに筋立て鍬という農耕器具を使った。馬が導入されてからは，畦立機が活用されるようになった。「耕し起こしたのち，砕土・地ならしを行う農機具」（goo辞書）であるハローも使われた。その種類に金ハロー，芝ハロー，除草ハローがあった。金ハローは四角の舵のほうな形であり，土の塊を砕く役割を果たした。芝ハローは土をより一層細かく砕くとともに，最終的に整地する時にも使われた。除草ハローは名前の通り除草の役割であり，発芽前に除草をするときに使われた。整地の時にも活用されたという(注8)。

**一口メモ　農地改革—百年史pp.415-419**

第1次大戦後の大正期後半，封建的地主制度の下，経済や天候の悪化で小作人が苦しんでいた。政府は，小作人の保護と自作農化への転換を重視した。1926年（大正15年），「自作農創設維持補助規則」を制定し，小作人の自営農への転換を促進させようとした。だが，政府も資金が不足しており，この試みはうまくいかなかった。そこで，1937年（昭和12年），前規則を「自作農創設維持補助助成規則」に変更し，補助金の交付だけでなく，未開墾地を開発するための奨励金や助成金も交付するようにした。翌1938年，耕作者を保護するため小作人の権利を法律で守ることとした。1939年小作料統制令で小作人の保護を行うとともに小作料を金納化することを定めた。1944年には地主が自分の農地を売却しやすくするための奨励金制度も設けた。だが，こうした試みは成功しなかった。小作人問題の解決は戦後に回された。

本格的な農地改革は戦後のGHQ（連合国最高司令官総司令部）の指示の下断行された。「田畑の所有者は耕作者自身でなければならない」。この言葉の下，「いっさいの田畑を耕す人の手に渡さなければ」ならなくなった。こうして，戦後の農地改革が行われた。国が地主から農地を買収し，小作人に売り渡すという内容だった。

---

（注8）上野敏郎の第1357回普段着のとかちミーティング（2022年6月22日確認）
http://www.octv.ne.jp/~ican/ueno/t.ueno-hp/hp8/R030310.html

浦幌でも農地委員会が設置された。農地委員会のメンバーは1946年（昭和21年）の選挙によって選ばれた。事務局は役場内に置かれ，翌年初会合が行われた。小作地調査と趣旨説明のため全村で地域ごとの懇談会を行うこととなった。その調査の資料となるべき地図は上浦幌を除いて未整備であり，これには難儀したようだ。境界不明，土地台帳との相違，小作者の申告間違え，地主に無断で開墾した土地の申告，地主と小作人が談合しての地主の自作地としての申告など調査の支障となったという。それでも翌1948年に総小作地2,568ヘクタールのうち，2,281ヘクタールを買収することを決定した。

## 3. 浦幌の農作物（百年史pp.344-358）

1896年（明治29年）ごろ浦幌の開拓がはじまり，農業が始まった。農業といっても「業」ではなく，自分たちが生き抜くためにほとんどが自家食料として作られた。当初の自家用作物としてキビが中心だった。それ以外にも，自家食料としてハダカムギ，トウモロコシ，バレイショ，アワも作付けされた。ただ，自家用だけでなく一部販売用としてダイズも作付けされた。その後，未開地処分などで畑が広がるにつれて，ダイズやアズキの生産が中心となっていった。1919年（大正8年）アマ（亜麻）の作付けも始まった。

### 1）バレイショ

記録によると[注9]，浦幌のバレイショの生産は，1906年（明治39年）に11,250貫（1貫＝3.75キログラム）であったが，その3年後の1909年（明治42年）には630,000貫と飛躍的に増えている。バレイショには，耕作が容易であること，年によっての豊凶の差が少

（注9）百年史p.345 表「特用農産物」より。

ないこと，連作に強いことなどのメリットがある。そのため，開拓者たちが率先してバレイショを作るようになった。ただし，そのほとんどは開拓者たちが食する自家用のものであり，販売用として市場に出回ることはほとんどなかった。

### 2）大豆

1871年（明治4年）の段階で大津川の西側で大豆が生産されていたという（「豊頃百年史」）。だが，当時大豆の生産は道南や道央が中心であった。そちらで次第に稲作が主流になり，その流れで大豆の生産が道東に移ってきた。1894年（明治27年）の段階では24ヘクタールでしかなかった十勝の大豆栽培面積が，その10年後の1904年（明治37年）には1万ヘクタールを超えた。このころになると，十勝の栽培は豆作が中心となってきた。浦幌での最初の大豆の生産は1896年（明治29年）土田農場に入植した4戸が作った黒大豆ではないかと浦幌町百年史（p.347）は推測している。

だが，農業は一筋縄でいかなかった。稲作同様，北海道での大豆の栽培も，水害，凶作，病害虫の食害に悩まされた。そのため対策を講じなければならなくなった。国の農業試験場では，1915年（大正4年）より品種改良に本格的に取り組み，大豆の優良品種が生み出された。その種の生産が定着していった。その後1933年（昭和8年）に交雑育成法によって生み出された十勝長葉や北見長葉が優良品種に決定されると，1950年代後半までそれらが北海道での大豆生産の主流となった。だが，それらには晩熟（成熟するのが遅いこと）という欠点があった。晩熟の性質のため，1954年（昭和29年）の冷害の際，この種は大きな被害を受けてしまった。そこで新品種の要望が強くなり開発された結果，1959年（昭和34年）にカリカチが，そして1961年（昭和36年）にシンセイが優良品種と決定された。黒目が主流であった当時だが（カリカチ，シンセイも黒目），次第に加工の点で色の見栄えの良い白目の品種への需要が高まっていった。

### 3）小豆

開拓当初浦幌において小豆は自家用を目的に栽培された。その後開墾地域が広がるにつれて小豆の生産も広がっていった。小豆には温度や日照の不順に弱いという欠点があり，水稲が不作の時は小豆も同時に不作になるというほど心配の多い，不安定な作物であった。大豆同様，最初は道南，道央で生産されていたが，それらの地方で水稲生産が中心になるにつれて小豆生産がやはり道東に移ってきた。

1906年（明治39年）ごろ，高台軽土質地である上浦幌地区では，その土壌のマッチングの良さから，高品質品の北見産と変わらないほど品質の良い小豆が生産されていた。他方，中浦幌，下浦幌地区は重粘土質地であったため，両地区で生産された小豆は質も量も上浦幌地区に劣っていた。この両地区は小豆の栽培には向いていなかったのではないかと浦幌町百年史は推測している。

北海道での生産量を増やし，そして質を高めるため，大豆同様，小豆も新種改良が重ねられた。1905年（明治38年）ごろは剣先，円葉が優良品種として生産されるようになった。1914年（大正3年）には早生大粒，茶殻早生が優良品種として生み出され，それまで生産されていた種にとって代わっていった。曽於の後も品種改良は進み，戦前では大納言小豆，戦後ではエリモアズキが多く生産されている。

### 4）てん菜

ビートとも呼ばれるてん菜は寒冷作物であり，各国でも北緯40度以上で生産されている。日本も例外ではない。浦幌を含めた北海道でもてん菜の栽培が行われていた。1919年（大正8年），国の主導の下北海道産のてん菜を製糖化させる会社として帯広に北海道製糖株式会社が設立された。第1次大戦後，台湾でのてん菜の生産が暗礁に乗り上げたことから，北海道でのてん菜の増産を推進する政策をとった。この会社が一手に買い取ってくれるため，製糖の原料となるてん菜の生産が広がったとされる(注10)。政府は日本国内でのてん菜の自給自足体制の確立を図った。

当初はてん菜の生産を躊躇した農家もあった。てん菜を好むヨトー虫などの害もあり，その栽培が容易でなかったからである。対策として小学生を動員し，彼らがとったヨトー虫の卵塊のついた葉を1枚1銭で買い上げるという方策をとったこともあった。浦幌の農場の一つの森農場は，損害が出た場合は農場側が弁償することで小作者にてん菜の栽培を割り当てた。てん菜の買取価格が高値であったため，1～2ヘクタールの栽培でも1～2年で成金になった農家が続出した。そのため，てん菜の生産面積と収穫量が拡大していった。1930年（昭和5年）ごろになると，生産性の向上も伴い，帯富，万年地区では10ヘクタール当たり7.2トンもてん菜が収穫できるようになった。浦幌のてん菜栽培は成長し，浦幌以外の他地区と連携した甜菜（てん菜）多収穫共進会の祝賀会が浦幌の産業組合で開かれたこともあった（第8回甜菜多収穫共進会）。

そのてん菜生産が落ち込んだ時期があった。1937年（昭和12年）

(注10) 砂糖の材料はサトウキビだけでなく，てん菜もある。フランスやドイツではてん菜が使われている。

の支那事変の後満州の開発が進み，北海道では資材や労働力が不足した。また農産物についても国家統制が進み，てん菜栽培の意欲が次第に失われていった。北海道製糖株式会社と並んで1920年（大正9年）に設立された日本甜菜製糖株式会社（上川郡人舞村）の清水工場が，1944年（昭和19年）に溶剤や化学用原料であるブタノール工場に転換されて，てん菜の生産は大きく落ち込んだ。

戦後てん菜栽培を促進させるために1953年（昭和28年）に「てん菜生産振興措置法」が制定公布された。1954年（昭和29年），1956年（昭和31年）の冷害による水稲の凶作も相まって，「冷害に強く北海道に適した寒冷地作物」として北海道のてん菜生産が再び伸びていくこととなった(注11)。

途中，浦幌にとって残念なことがあった（百年史p.382）。甘味資源の95％を海外からの輸入に頼っていた日本政府は国内での製糖を重視することとした。1956年（昭和31年）の「てん菜糖生産振興法案」による「砂糖生産第1次5か年計画」に従って北海道に製糖工場の新設が計画された。その候補地に浦幌町も手を挙げた。1958年，大阪精糖の常務一行が浦幌町を訪れ，工場設置の協力を依頼してきた。これを受けて同年町議会は「設置期成会」を発足させ，町を挙げて製糖工場誘致のための協力体制を作った。浦幌町の製糖工場の誘致運動は熱を帯びた。同時にてん菜の作付面積も広げられた。1960年（昭和35年）浦幌町は「てん菜増産奨励補助要綱」を準備し，それに基づいて，個人に対して増産奨励金を交付したり，輸送費や耕作用機械購入費の補助を行った。だが，無念なことに，最後に大日本精糖とホクレンの製糖工場が他地域で設置，稼働することが決まり，浦幌町の夢は潰(つい)えてしまった。

---

（注11）「てん菜栽培の歴史」

その後も浦幌でのてん菜栽培が常に順調だったわけではない。浦幌町では1964年（昭和39年）の冷害で902戸の農家が大きな被害を被った。「寒冷作物のてん菜増反運動要領」[注12]をその対策の一つとして利用した。てん菜の栽培を縮小するのではなく，逆に「寒冷作物のてん菜増反運動要領」にしたがって農家1戸あたり10アール以上の作付面積の増反を行った。その結果，浦幌全体でのてん菜作付面積は1154.25ヘクタールと増えた。てん菜の農家戸数も971戸まで増えた。同時に，てん菜の種子を寒冷に強いものに品種改良した。その種子が各戸に無償で配布され，広がった耕作地で品種改良されたてん菜栽培の促進がなされた。マイナスの出来事をきっかけに逆にてん菜栽培が増えたわけである。かくして，寒地農業が確立した。

参考

「てん菜栽培の歴史」北海道農政部生産振興局農産振興課（2021年11月25日確認）
https://www.pref.hokkaido.lg.jp/ns/nsk/tensai/history.html

## 5）インゲン豆

次にインゲン豆について触れよう。インゲン豆は，1654年中国の僧の隠元隆琦（いんげんりゅうき）が中国から持ち込んだといわれている。それが日本で栽培されるようになった。第1次世界大戦時は豆類の国際価格が高騰し，北海道のインゲン豆の作付面積が急激に拡大した。1918年（大正7年）その中でも十勝地方の作付面積は北海道の中で最も広くなった。北海道の各地で多くの豆成金が登場したとのことだ

（注12）増反とは「田畑の作付面積をふやすこと」。減反の逆。（コトバンク：デジタル大辞泉）

が，十勝では豆成金にまでなった者はそれほど多くなかった。しかし，浦幌でも，三角形の「拝み小屋」に住んでいた者は草屋根や草壁の「掘っ立て小屋」に出世し，「掘っ立て小屋」に住んでいた者は「木造建築」に移った。成金の台頭まではいかなかったが，当時の豆景気が十勝地方や浦幌に無縁でなかったことは確かなようである。

昭和初期に浦幌で生産されていたインゲン豆の品種としては，小手亡という品種もあったがそれよりも大手亡という品種が主流であった。1927年（昭和2年）に大手亡が優良品種と定められたからである。金時においてもいくつか種類があったが，昭和初期には本金時，鶴金時，手無鶴金時が主に生産されていた。ただ，それらは熟するのが遅く（晩熟），しかも天候不良に弱かった。そのような理由から戦後は金時の生産が減少し，大手亡やうずら豆の生産が増えた。ただし，金時豆の中でも，優良品種として指定された白金時（1958年に指定），大正金時（1960年）の生産は拡大した。

### 6）ムギ

北海道でのムギ栽培は天明年間（1781年から1788年）にも行われていたという記述がある（立松東作『東遊記』，1784年）。明治時代の日本もムギ生産に力を入れるべく，1871年以降アメリカなど外国から種子を輸入した。

北海道には官園が設けられていた。官園とは，農業に関する試験を行う農業試験場のことである。その農業試験場での試験の結果，1873～1874年ごろコムギとしてはアメリカ産の種子が優良品種と認定された。また，アメリカ産だけでなく1878年にはドイツ産の種子も優良品種として認められた。

アメリカ産のコムギの種子を優良品種に認定後，北海道の札幌官園と七重官園（現亀田郡七飯町）はそれを農家に貸付け，播種培養の方法を指導した。オオムギに関しても，1879年以降札幌官園はアメリカ産のオオムギ種子を販売した。こうした官園による貸付や販売のプロセスを通して，北海道でのオオムギ，コムギの普及が図られた。明治時代の開拓時のムギは自家用の食料として貴重な農作物であったのである。

時代は飛ぶが，1949年（昭和24年），ソ連が大干ばつに襲われ，世界の各国からソ連によるコムギの大量買い付けがなされたことがあった。このとき，世界のコムギの需給がひっ迫した。日本政府が農家からのコムギ買い上げ価格を大幅に引き上げた。ムギ類の生産振興奨励補助金の制度も相まって，この時期十勝のコムギの生産が大幅に拡大した。

### 7）コメ

開拓当時，北海道は寒地であるため稲作は奨励されていなかった。だが，一人の人物が北海道での稲作の可能性を現実化した。1871年（明治4年）に島松札幌郡月寒村に移住してきた中山久蔵は，道南の稲の赤毛種を使って島松に適する地米を作り上げた。なおかつ，その種を石狩，空知，上川地方の入植者たちに彼は無償で配布した。その実績を見て，北海道庁はその久蔵に北海道各地での稲作方法の指導を依頼した。久蔵の努力のおかげで1879年（明治12年）ごろには北海道各地でコメの生産が広まった。まさに，明治時代の北海道でのプロジェクトXに値する人物であった。

十勝地方で稲作が始まったのは1884年（明治17年）であったが，当初はバッタの被害などがあり生産に成功しなかった。稲作に成功したのはそれから10年後，下帯広に増田立吉が入植してからである。彼は士幌川河口の20アールの水田で稲作を行い，コメの収穫に至った。これが十勝での最初の成功例であった。その後1898年（明治31年）には，池田で青山奥左衛門と武智梅太郎が「におい早生」と「赤毛種」の栽培に成功した。彼らを稲作に駆り立てた理由としては，本土の時と同様に「米を食べたい」という郷愁の想いであったこと，お米がお金になること，他地域でできているのだから自分たちもできるはずだという確信を持っていたことが挙げられる。

浦幌においては，1900年ごろ森農場，熊谷農場（のちの石垣農場）が浦幌で水稲に挑戦したが，成功したという記録は残っていない。1909年浦幌の稲穂への加賀からの団体入植があった。彼らの手によって稲穂地区に田んぼが造られ，水稲の試作がなされた。次第にコメが増産されていき，十勝でも稲作が可能となりそうな夢が一瞬広がった。1911年以降の大正時代も彼らの努力は継続されたが，その成果は順調とはいかなかった。不作が続いてしまい，次第に人々も水稲から離れていき，田んぼが荒廃してしまった。この時の稲作の試みは失敗に終わった。

浦幌では1918年（大正7年）にようやく水稲の栽培に成功する。上浦幌地区の下川上において，石原菊次郎，宮田発次郎，松本菊次郎が水稲の試作を行い，収穫をあげることに成功した。それを受けて，1920年（大正9年）灌漑溝の構築が行われるようになった。上浦幌地区の上流布でも，1920年に石倉五三郎が水稲の試作に成功し，萩原荒吉と17名の有志が，灌漑溝構築の計画を立て，北海道庁の許可を得て実行した。上浦幌では170ヘクタールの水田計画が立てられ，水稲栽培を行う農家が増えた。大正期に実際の水稲栽培面積は（計画通りにはいかなかったものの）120ヘクタールまで拡大した。

その後，浦幌の水稲は順調に拡大していったかというと，そうたやすくはなかった。昭和に入ると，水害や冷害が続いてしまい，太陽熱が少ない地域での水稲がいかに難しいかが分かってきた。浦幌の気候は水稲栽培に向かず，収穫が安定しなかった。そのため，浦幌の水稲栽培は，1936年（昭和11年）の凶作を境に衰退していくこととなった。浦幌の稲作が消滅した正確な時期はわからないようだが，浦幌町百年史によると（p.358），稲作が行われた地区の人たちの話として，水稲栽培が終わったのは1935年（昭和10年）から1950年（昭和25年）にかけてのことだったようだ。稲作がなされなくなった田は次第に畑に転換されていった。一時盛り上がりを見せた浦幌の稲作であったが，結局自家用の範囲を出ず，販売用の生産まで至らなかった。かくして，浦幌の稲作は終わりを告げることとなった。

### 8）ソバ

ソバは主食ではないが，補助食用，救急用として古くから栽培されてきた。ソバの特性は，肥料がいらないことである。吸肥力が強く，肥料を与える必要がなく，粗放栽培ができた。ソバは手間のかからない農産物であった。また，ソバは6月から7月にかけて種をまくことができた。かつての北海道は開墾したての地が多く，春からの開墾が終わったこの時期に種をまくのは好都合であった。また，天候不順で春の豆類の種まきができなかったときでもこの時期にそばの種をまくことができた。これらの特性から北海道の開墾当初，ソバはまさに土地を選ばない優等生であり，育成に最適な農作物であった。大正の終わりから昭和初めにかけて一時ソバの栽培面積が減少したことがあったが，開拓以来長期にわたって継続的に栽培量が増えてきた農作物である。第2次大戦の終戦直後で食糧難に陥った時，日本全体でソバは貴重な食料となった。十勝管内での当時のソバの栽培面積は1万ヘクタールに拡大した。

他方，アワやひえについては，生産が衰退していった。ひえは古代からの食料であったが大正初期においてひえの十勝での生産は5ヘクタール前後に過ぎなかった。昭和になってからひえは鶏のエサとして脚光をあびて生産量が増したが，戦後は年々減少し，鶏の餌も海外から賄うようになり，とうとう生産されなくなった。ひえにも一応優良品種があり，「わせひえ」「十勝ひえ」が指定されていた。

他方，開拓当初は多く生産されていたアワについては1920年（大正7年）ごろまでの記録はあるが，その後の栽培については明らかでない。生産が大幅に減ったことがうかがわれる。

## 4. 戦後の農業（百年史pp.375-387）

### 1）帰農

北海道の開拓から3四半世紀。再び，北海道の開拓を進めるべく，開拓者たちが北海道にやってきた。政府が推進したのである。その第1の理由は，農業を柱に第2次大戦後の日本経済を立て直す方針を立てたためである。第2の理由は，戦時中に疎開を推奨したものの，戦後は都会に人口が戻り過剰気味になっていたためである。そこで，農地改革と同時に，都会の過剰人口削減と未開墾地の開発のため，「帰農」を推進することとなった。農業のIターンである。北海道はその対象地の一つとなった。

終戦前の1945年春から，東京都と北海道開拓協会が共同で，東京都民に対して北海道への農業Iターンを募集した。「食糧増産に一役を」というキャッチフレーズで募集した。都内各所に「北海道の新天地を拓く食糧増産の戦士」をキャッチフレーズにしたビラが貼られたり，個別に配布された。その結果，数万人規模の人たちが手を挙げた。

1945年9月浦幌にも農業Ｉターンの第1団，10戸55名が到着した。彼らは戦災を受け，しかも長旅の疲れで相当やつれていた。しかも，北海道でのこれからの生活を思い，みな大変不安げな表情だったという。服装も汗と油がにじみ出ていたと形容されている(浦幌町百年史p.376)。浦幌駅で浦幌職員に迎えられた後，ただちに地区実行組合長に連れられて各地区集落に案内された。落ち着く暇もない状況だった。彼らは千歳，万年，吉野，統太，養老方面に分散した。10月になると，農業Ｉターンの第2団が浦幌に入ってきた。6戸24名だった。彼らは帯富，常盤，幾千世に分散した。

彼らの苦労は，入地が9月，10月だったこともあり，すぐ北海道の冬がやってきたということである。地域の人たちの協力で，農家の納屋や馬小屋に居住することができた。だが，寝ている間に寝具に霜が降りたり，吹雪が小屋の中まで積もったりと過酷な状況だった。彼らは手袋や耐寒の服は持っていなかったという。北風の中，炊事や暖房に必要な薪を集めた。浦幌町百年史を傍らに本書を書きながら，筆者らも自分が極寒を体感している感覚になってくる。入地者たちはそれだけ厳しい冬を過ごしていたのであろう。

彼らの元気の素は，集落の人たちから聞く話だったという。それ以前の人たちの苦労の話を聞いて彼らも励まされた。その結果「新たな勇気を奮い起こした」と浦幌町百年史は述べている。春が来ていざ農作業開始という時に彼らに渡されたのは，唐鍬と粗製の鍬だけであった。立ち木を伐る，谷内坊主(やちぼうず)(注13)を切り裂くなどの耕作作

---

(注13) カヤツリグサ科のカブスゲという植物が湿地に多く分布していた。このカブスゲの地下茎は異常に発達しており，冬には凍って株ごと盛り上ってくる。さらに春先に根元が雪解け水などでえぐられるという。毎年それを繰り返し，数十年で高さ40～

業を行うためである。限られた道具で多くの作業をこなすには相当な苦労が伴ったであろう。こうした苦労が報われたのは，この年，農作物が豊作だったことである。入植して1年がたち，入植者にようやく風呂おけが配給された。彼らも少しずつ浦幌の地と生活に慣れてきた。

ただし，戦後で経済は低迷しており，農作物を作ったからといってお金が簡単に手に入るわけではなかった。入植者の中には，開墾と農作業を行うよりは手っ取り早くお金を手にする方法として炭鉱夫になる者も多かった。あるいは，故郷に戻っていく者もいたという。戦後直後の入植はそれだけ労苦を極めるものであった。

その後も戦後間もない入植は未開墾地の開拓が主でその立地条件が良くなかった。浦幌で開墾の対象となったのは上浦幌，下浦幌，厚内，静内，十勝太であった。北海道庁も開拓営農指導員を配置して各地の開拓の推進を図った。開拓農業協同組合も設置された。「協同化と農業技術の向上，土地改良ならびに生活様式の改善，建設工事の促進」（浦幌町百年史）を行った。

国も1945年（昭和20年）に吉野原野十ヵ年干拓事業」を開始した。浦幌では1951年（昭和26年），稲穂周辺の地権者から土地の条件付き買収を行い，1,623ヘクタールの土地の開発が始められた。1955年（昭和30年），「東京都からの集団帰農（16戸），外地からの引揚者（樺太・満州）・復員軍人・地元農家の分家など」（浦幌町百年史）がこの団地に入植した。

1956年（昭和31年）ごろ，開拓小屋（開拓者たちが建てた仮の小屋）を住宅として使っていた人が多かった。国は開拓者に対して国

50センチの大きなかたまりとなる。その様がお坊さんの頭に似ていることから「谷地坊主（やちぼうず）」と呼ばれている。（「やちぼうずって誰？」（Gab氏ブログ参考）

費で住宅の建築補助を行った（1946年「開拓者資金融通法」）。次第に，一般木造，耐寒木造，ブロックなど，造りの差はあるものの，住宅が建てられていった。開拓者たちの生活も次第に充実していった。

### 2）寒冷地と農業

そうはいっても，寒冷地で農業を行うのは順風満帆とはいかなかった。1953年（昭和28年）から1958年（昭和33年）にかけて浦幌は令湿水害の被害が相次いだ。1962年（昭和37年）と1964年（昭和39年）には台風の被害も加わり，浦幌に大きな被害をもたらした。十勝川，浦幌川，下頃辺川は100ミリ弱の雨で氾濫してしまっていた。一度氾濫すると河川沿岸にある集落は一面が泥海になったという。一応寒冷地に適したてん菜，アマ，バレイショの生産を行ってはいたものの，被害からの回復過程での苦労は並大抵のものではなかった。当時の農家は，国の政策に従って，農地を広げることに重点を置いていたので，多くの資本を必要とした。その資本の整備のための借り入れができる農家はそのまま農業を続けられたが，お金を調達できない農家は離農して他の職に変わっていくしか方法がなかった。残った農家も自立経営を続けていくには，ただ広げていく方針からの転換を行う必要があった。

このように国の政策と入植者たちの努力がうまく作用しあいながら，次第に浦幌の農業が成長してきた。

## 5. 畜産（百年史pp.359-374，pp.389-396）

浦幌にとって畜産は第1次産業の中で主要な産業である。農業の次にこの畜産業の歴史を振り返ってみよう。

### 1）幕末・明治初期

北海道には馬がいつからいたのか。その証拠を示す最も古い資料は，1691年（元禄4年）松前藩主から町奉行に通達した書類であった。その中に馬の存在が書かれていたという。その後，安政年間（1854年～1860年）には1万頭の馬がいたようである（『北海道史』）。ただし，今我々が見るようなサラブレッドのようなスタイルの良い馬とは違い，体格も矮小な弱い馬だったという。南部種が進化ではなく退化した馬であった。荷物を載せて運ばせるのには適していたが，荷車を引いたり乗馬をするには不向きだった。蝦夷地を治めるためは馬が必要だったので，幕府は馬の改良と増産に力を入れた。北海道を引き続き本格開拓するため，その方針は明治政府にも引き継がれた。

1869年（明治2年）以降，農牧畜政策として，明治政府は馬の体格を向上させることに力を入れた。十勝では1886年（明治19年）晩成牧場が開設された。1891年（明治24年）北海道庁は種牝馬として「第二手稲号」をここに貸し付けた。他方，北海道庁は「第二ダブリン号」を大津村の齊藤兵太郎に貸し付けた。かくして，十勝の民間牧場での馬の品種改良が始まった。1896年（明治29年）晩成牧場は，品種改良のためペリシュロン種の第3レキリュエ号と南部種の福岡号を購入した。当時の飼育方法は放牧であった。繁殖方法は，1頭の牝馬に20頭から30頭の牡馬を一緒に放牧するという自然交配の方法が採られていた。

#### 歴史に学ぼう一言

これは馬のイノベーションといってよい。人間の社会で役立つように，馬の新種改良を進めてきた。無理した品種改良ではなく，自然の摂理を用いての品種改良である。地域社会を発展させるには，馬につても独自のイノベーションを行う努力が必要なことが分かった。

### 2）浦幌の馬

開拓以前浦幌には馬がいなかった。『十勝史』によると，浦幌町の前身の一部である大津村には1799年（寛政11年）の時点で初めて馬が配備された。その後，1808年（文化5年）には7頭，1858年（安政5年）には215頭に徐々に増えたという。江戸時代にも浦幌地区の馬の数が着実に増えたことが分かる。

1897年（明治30年）から1910年（明治43年）にかけて浦幌では河合牧場，土田牧場，飯山牧場，中川牧場，朝日牧場，下野牧場などが存在した。このうち河合牧場は河合長吉が1908年（明治41年）土地を買い取り経営した牧場であった。ここには種牡馬の繁養所（繁殖のために管理し育てる所）が設置された。これによって浦幌での種付けが本格化され，浦幌は馬の増産に貢献する地域となった。ちょうど浦幌神社下の下総牧場が仮種付け所として使用された。河合牧場は，アンデル，西鶴という2頭の馬を種牡馬として貸し出した。

大正には浦幌により多くの牧場が登場し，馬格の改良（馬のイノベーション）がどんどん進められた。このイノベーションに成功し，1926年（昭和元年）には多くの優秀種牡馬が存在した。十勝の中でも浦幌は最も優れた馬産地として評価されていたという。名馬の聞こえが高くなった浦幌は北海道内だけでなく本州にも馬を提供する地位になった。浦幌は，まさに馬のイノベーションの成功の地という称号に値した。浦幌は日中戦争や第2次世界大戦の軍馬も提供した。優秀さの証明である。

### 3）馬市

1911年（明治44年）浦幌に馬市が開かれた（桜町4番地）。といっても，屋根があるわけではなく青空市で行われた。1922年（大正11年），十勝産馬畜産組合浦幌区会が常設の市場施設を開設した（新町15番地）。馬市に出す馬を飼育しておかなければならないので，1934年（昭和9年）付属牧草地を新たに設置した（東山103ヘクタール）。かくして，浦幌の馬市は次第に整備されてきた。その結果，1939年（昭和14年）の種馬統制法の下で，浦幌は輓馬（ひきうま），駄馬の生産地帯にも指定された。その指定を受け馬の改良がより一層進み，浦幌では優秀指定基礎牝馬年が1,400頭を超えるまでに至った。これによって北海道の市場の70%を浦幌産出の馬が占めることになった。1941年（昭和16年）に浦幌の市場は最盛期を迎えたといってよい。夏6日間，秋2日間開かれた浦幌市場に家畜商参加者が100人以上，馬も出場頭数909頭，売買頭数747頭という高い数字が記録されている。家畜商の中には一人で80頭を購入する者もいたという。市場には諸々の出店が並び，家畜商が泊まる宿も繁盛し，お祭りムードで皆が楽しむ場となっていた。

何事にも栄枯盛衰がある。2次大戦の終戦後，浦幌の馬市の出場数が減り，それに伴って馬の売買数，売上高も減ってしまった。1948年馬の産出に関しては浦幌農業協同組合のテリトリーに移っていた。浦幌の馬の市場に関しては十勝農協連との共催の形で浦幌農業協同組合が運営した。だが，組織の改編にもかかわらず，馬市は直ちには活性化されなかった。同年の馬市は振るわず，翌1949年には冬にも2日の開催を追加したが，活気を取り戻せるような改善にはつながらなかった。だが，時代は浦幌の馬を見捨てたというわけではなかった。1950年になると，農業の再建，食糧の増産の方針の下，馬の需要が増え，低迷していた馬の価格が跳ね上がった。1952年の浦幌馬市場では，900頭もの馬が出場し，売り上げは4,500万円にのぼったという。かくして浦幌の馬は再び浦幌の主産業となり，浦幌は「馬産王国」と呼ばれるまでに至った。浦幌の馬の市場経済の全盛期であった。

経済には景気の良い悪いがつきものである。その後，浦幌の馬市場にやはり低迷期は訪れることとなる。1952年を頂点として浦幌市場の出場馬数，購買側数とも減少し始めた。浦幌の馬市場はまたもやピンチに陥った。もはやこれまでかという低迷にまで陥ったが，救世主が現れた。馬の食肉としての活用である。馬の需要低下を食い止めたのが，この食肉利用であった。1955年ころ肉資源不足を補うために馬肉が注目されるようになった。1958年には浦幌の馬の60％が食肉用として取引された。このころ，浦幌の馬市場では肉用馬，農用馬，種牝馬の3種の目的で取引がなされるようになっていた。これまで話したような盛衰はあるものの，浦幌は馬の産地として全国に名をとどろかせた。

だが，読者の皆さんもご存じの通り，農業の近代化を馬に負うことはできない。機械化によってこそ近代化が進む。それまで馬が担ってきた役割を機械が代替するようになったこと，浦幌でも酪農が拡大したことなどの理由で浦幌から馬が次第に消えていった。馬で栄えた浦幌の姿は今やない。時代の流れでやむを得ないことと思われる。

### 4）浦幌の牛

馬と同様，かつて北海道には固有の牛がいなかった。そのため江戸時代，本州から北海道に牛を持ち込んだ。幕府は北海道において，牧場での牛の繁殖を試みたが，北海道の冬の寒さで死ぬ牛が続出し，当時牛の飼育は困難を極め，うまくいかなかったようである。

十勝にはじめて牛が入ったのは1799年（寛政11年）だといわれている。十勝と日高の間の山道の整備のため，幕府によって馬60頭とともに牛4頭が運び込まれた。ただ，牛4頭を持ち込んだ目的がなんであったかは記録になくわからないという(注14)。

手をこまねいているわけにはいかない。開拓使たちは牛の増産に力を注いだ。本州からの移入，海外からの輸入によって運んできた牛の増産と品種改良の努力を行った。1872年（明治5年）に，但馬産の牝牛94頭，牡牛5頭，アメリカ産の牝牛・牡牛を数頭購入し，東京官園の牧場で飼育し繁殖に成功したという。アメリカ産の牛については搾乳も行うことができた。

1886年（明治19年），当縁村（大樹町生花）に晩成合資会社（経営者は依田弁三。1893年に法人化）が広大な土地を貸し付けてもらった。そこに，陸奥の国から買い入れた牝牛4頭，牡牛10頭を放牧した。放牧といっても現代的な管理放牧ではなく，まさに文字通りの原野での飼育であった。この事実こそが十勝で初めての牧牛事業であった。3，4年後にはエアシャー雑種も仕入れ，酪農という形を開始した。1891年（明治24年）には放牧している乳用牛が100頭まで拡大した。1898年（明治31年）頃には晩成合資会社は十勝一の大牧場になった。

酪農業として浦幌で初めて確立させたのは1923年（大正12年）の森農場であった。てん菜栽培と同時に，乳牛の飼育も開始した。その目的は，牛の繁殖で出た糞尿をてん菜栽培の肥料として使用することであった。だが，乳牛飼育は肥料の生産という役割だけにと

（注14）浦幌百年史は明治元年に十勝に入植した古老の話を紹介している。彼が入植したころには短角系肉用牛が数多く飼育されていたので，江戸時代のこの時持ち込んだ短角系の4頭をその後繁殖させたのではないかということであった。

どまらず，森農場の初代森直樹は，牛乳生産のために1頭1,500円(当時高価）で優良牛を購入した。2代目三樹二も多数の優秀乳牛を購入した。森農場の酪農が形作られていった。昭和に入ると，二人は，牛を飼育しているものの搾乳は行っていなかった他の農家にも酪農を行うことを勧めた。二人の勧めに応じて浦幌の農家でも酪農が始まり，次第に浦幌の乳牛熱が高まっていった。このような経緯を鑑みると，森一族こそが浦幌の酪農の基礎を作ったといえる。

浦幌自体の面積が広いため，搾乳した生乳を直接帯広の酪農協同株式会社工場に輸送することができなかった。その問題を解決するため，輸送中継基地として浦幌内にいくつかの集乳所を設けた。浦幌，新吉野，幾千世，上浦幌，浦幌仁生の各集乳所がこれである。仕組みとしては，原則としてまず近隣の生産者がそれらの集乳所に生乳を持ち込む。次に，クリームの分離を行った後，浦幌市街の集乳所にそれを集約する。最後にそのクリームを鉄道で帯広の酪農協同株式会社工場に輸送した。吉野以南の地域ではこうした経由の形をとらず，直接帯広工場まで鉄道で輸送した。また上浦幌からは帯広工場ではなく足寄工場に鉄道で直接運んだ。

だが，今最初に記述した幾段階かの輸送は不便なことから，1947年（昭和22年)，わざわざ帯広まで運ばなくて済むよう，浦幌市街に中間工場を建設した。その工場では，チーズ，粉乳，無糖クリーム，カゼインなどを製造した。また，浦幌の各集乳所が酪農協同株式会社の直轄経営となり，物流システムのイノベーションが図られ，より効率化した。この1947年時点で浦幌の飼育乳牛頭数は680頭で，搾乳産出額は120万円であったという。

### 5）浦幌の豚

1872年（明治5年）東京官園（東京の農業試験場のこと。1875年

（明治8年）東京農事試験所と改称）で仮の豚舎が建設され，小型の豚が飼育され始めた。1897年（明治30年）浦幌では豊北で西田小次郎が豚300頭を飼育した記録が残っている。豚に関しての詳細な記録は残っていないが，1924年（大正13年）から1935年（昭和10年）にかけて材木町で安盛定吉が常時50頭ほどの豚を継続的に飼育した。安盛は毎月10頭ずつを釧路のマルミ肉店に出荷していた。浦幌での本格的養豚業と見なすことができよう。浦幌において昭和30年代（1955年以降）には200頭，1975年（昭和50年）には553頭にまでなったが，1990年の平成以降は養豚が衰退し，とうとう豚の飼育頭数がゼロとなってしまった（1989年（平成元年）は売上300万円。翌年からゼロ）。

## 6. 現在（浦幌町HPから2013年，2019年の情報，ジャパンクロップスから2016年の情報）

### 1）現在の農業

最後に現在の浦幌の農業の実態に簡単に触れておこう。浦幌町の農用地面積は浦幌町総面積の 10,405.34ha（2015年（平成27年））である。農業に60日以上従事した世帯員，役員・構成員（経営主を含む）数は524人である（2019年時点）。農業産出額は84.9億円である（2016年）。耕種（田畑をたがやし，種や苗を植えること。田畑をたがやし作物を作ること。：コトバンク）が29.5億円，畜産が55.4億円（肉牛17.2億円，乳用牛37.9億円）である（2016年）。畜産が耕種に勝っている状況である。

耕種の中身を見てみると次のようになっている。

**2016年**

| | | |
|---|---|---|
| イモ類 | 10.3億円 | (52位) |
| 工芸農作物 | 5.9億円 | (82位) |
| 野菜 | 7.7億円 | (684位) |
| 豆類 | 3億円 | (38位) |
| 麦類 | 2.3億円 | (38位) |

＊順位は国内1719市町村

**2019年(浦幌町HP)**

| | |
|---|---|
| イモ類 | 8.5億円 |
| 工芸農作物 | 10.5億円 |
| 野菜 | 8.5億円 |
| 豆類 | 7億円 |
| 麦類 | 4.7億円 |

野菜を除くといずれも日本の中で100位以内に入っており，農業については浦幌は日本の代表的産地といってよい。2016年時点では，イモ類の産出額が一番大きく10億円を超えていたが，2019年時点ではそれが減少し，その代わりに，他の農作物の生産が増えている。豆類，麦類とも大幅に増えている。

2016年畜産は，総生産額55.4億円のうち，肉用牛が17.2億円，乳用牛が37.9億円であった。かつての豚や馬の飼育は皆無になっている。1953年森永乳業(株)十勝工場として設立された現十勝浦幌森永乳業株式会社が現在の浦幌の生乳全量を引き受けている。

これらの産業が浦幌町の食料自給率2,900%という数字を支えている。(特定非営利活動法人うらほろスタイルサポートHP)

## 2) 結びと課題

浦幌の農業の場合，北海道の開拓時の苦労から始まった。段階を経ながら開拓者が浦幌にやってきて耕作地を広げていった。開拓者たちは本州のふるさとを去り，住む家もままならず，また木の株や谷内坊主との戦い，寒さとの戦い，不作との戦いを繰り返してきた。それ以外にも災害の影響を受けたり国家の方針に左右されたりしながら農業，畜産業を築き上げてきた。本章では，浦幌百年史を中心とした各資料から，先人たちの努力の結果を中心に記しているが，当時の人々にとっては，最後の到達点がどうなるのかわからない，未知の経験ばかりであったであろう。現在の農業も畜産業もこうした先人たちの苦労の上に成り立っている。

そうして出来上がった現在の農業，畜産業にも苦労は絶えない。浦幌の農業が抱えている課題の一つが将来の農業の担い手についてである。高齢化が進み後継者がいないなど，次の農業を担ってくれる人たちが減少している。そのため，浦幌町HPによると，「人・農地プラン」が策定されている。集落や地域ごとに，「今後の中心となる経営体（個人・法人）はどこか」「中心となる経営体へどうやって農地を集めるか」「中心となる経営体とそれ以外の農業者を含めた地域農業のあり方（生産品目，経営の複合化など)」などが課題となっている。

近年，浦幌町でも地域おこし協力隊として他地域から多くの若者が入り，活躍している。彼らこそ，浦幌町の農業，畜産業，林業など第1次産業を含めての21世紀の開拓者になってくれるのではないであろうか。先人の開拓者たちは0に近い状態から出発して今の浦幌を作り上げた。先人たちが築き上げてきた得点がまたゼロに戻ることはないにしても，後継者不足で減点されていってしまうと先人たちにも顔が立たない。救世主と言える地域おこし協力隊の若者たち，および浦幌出身の若者に新たな開拓者の気持ちで浦幌の一次産業の担い手になってもらいたい。新しい体力だけでなく新しい発想も十分備わっている若者たちである。彼らが活躍して，21世紀の浦幌の第1次産業を新たな形に作り替えてほしい。自給率2,900%を倍増させてほしい。100年後にまた彼らが開拓者の一員として記録されるように。そう願って筆者は本章の筆をおく。

### 参考文献

「やちぼうずって誰？」Gab氏ブログ（2021年12月8日確認）
http://gabinshiranuka.blog.fc2.com/blog-entry-37.html

「浦幌町地域農業再生協議会水田フル活用ビジョン」浦幌町（2021年12月12日確認）
https://www.urahoro.jp/soshiki_shigoto/sangyoka/nogyosinko/files/bizyon.pdf

「浦幌町」ジャパンクロップス（2021年12月12日確認）
https://japancrops.com/municipalities/hokkaido/urahoro-cho/

基本データ　浦幌町（2021年12月14日確認）
http://www.machimura.maff.go.jp/machi/contents/01/649/index.html

特定非営利活動法人うらほろスタイルサポートHP（2021年12月31日確認）
http://www.urahoro-style.jp/support/

「人・農地プラン策定について」浦幌町（2021年12月14日確認）
https://www.urahoro.jp/nogyojoho/nouti_plan.html

# 第4章　浦幌の林業

本田　知之，土居　拓務，水野　勝之

## 1. 浦幌町の森林・林業の概況

浦幌町は，総面積72,964haのうち76％に当たる55,289haを森林が占めており，北海道全体の森林率71％に比べても森林の割合が多い。図表4-1の通り，浦幌町の森林のうち約5割が個人や民間企業などが所有する私有林，ついで約4割が道有林，約6％が町有林となっており，国有林はわずかにしか存在していない。私有林には三井物産，王子製紙などの有名企業の社有林や，飛田辰大氏の飛田山林など2,500haを超える大規模所有者である個人の所有森林も含まれている。また，道有林を除く一般民有林（私有林及び町有林）のうち約5割が人工林となっているが，そのうちの約7割が落葉性の針葉樹であるカラマツが植えられている。

**図表4-1　浦幌町の所有者別の森林面積**

| 森林の所有者 | 面積（ha） | 面積割合 |
|---|---|---|
| 国有林 | 83 | 0.2% |
| 独立行政法人等 | 63 | 0.1% |
| 道有林 | 23,260 | 42.1% |
| 町有林 | 3,277 | 5.9% |
| 私有林 | 28,606 | 51.7% |
| 合計 | 55,289 | |

出所：農林業センサス2020，十勝の民有林2021版資料編を基に筆者作成。

2019年度に浦幌町の森林から産出された木材の年間の生産量は13万1,000m$^3$となっており，これは十勝地方の19市町村のうちで最も大きな数字となっている。なお，その8割に当たる10万8,000m$^3$が私有林及び町有林で生産されており，残りの2割が道有林で生産されている。一方で，人工造林の年間の実施量については144.7haとなっており，これも十勝地方で最も大きな数字となっている。このように，浦幌町は十勝地方の林業における中心的な役割を担っていると言える。これらの造林・間伐などの森林施業については，民有林は，主に加入率70%，組合員数437名を誇る浦幌町森林組合が実施しており，道有林は主に北村林業株式会社などの民間事業体が実施している。

## 2. 浦幌町の林業の始まり

江戸時代以前，日本の産業の柱は金であった。日本の産出量は膨大で，銀よりも換金率が低く設定されたほどであった。やがて，その金山からの産出も減り，砂金の産出にも力が入れられた。北海道では松前藩での砂金の産出が盛んで寛永年間（1624～1644年）が最盛期だったようだ。だが，その砂金取りが衰退し，その次に目をつかられたのが木である。江戸期に江差地方で豊富だった蝦夷ヒノキ（ヒノキアスナロのこと）が伐採の対象となった。道東では享保年間（1716～1735年）に厚岸の山林で伐採されたというのが最も古い記録である。

北海道では1897年頃に移住者が増え，それに伴って木材の生産が増えた。王子製紙（現在の王子ホールディングス，日本製紙の前身）や富士製紙（1933年に王子製紙と合併）などの本土の大資本も北海道に乗り出してきた。十勝では1919年，池田に富士製紙池田パルプ工場が完成し操業を始めた。

他方，それに先立つ6年前の1913年，池田に道有林の森林事務所が設置された。この事務所の下，道有林では苗木を植える造林が盛んになった。苗木については，国有林の苗圃で養苗したものを民間に交付していたが，1926年以降は十勝支庁に奨励苗圃が造られ，苗木の交付はそこで行われるようになった。

当初木材の搬出は丸太を川に流す流送や馬による運搬が主であったが，1922年に足寄森林鉄道，1923年に陸別森林鉄道が開通し，その鉄道によって運ぶこととなった。費用が安くすむのは川での流送だが，それだと河岸に大きな被害をもたらすことから鉄道などの陸上輸送に切り替えられていった。しかし，流送は流すだけという単純な作業のため鉄道輸送に比べてコストが低く，民間では第2次大戦後も割安な流送で運ぶ様子が見られた。なお，森林鉄道については，後述する林道の整備が進んだことや森林資源の枯渇・林業の採算性の悪化などにより，全国のほとんどが廃線となっている。足寄森林鉄道も陸別森林鉄道もトラック輸送への切替に伴い，前者は1960年，後者は1953年に廃線となった。なお，2022年1月現在，日本国内に現存する森林鉄道は鹿児島県屋久島の安房森林軌道，京都府南丹市の京都大学芦生研究林の京都大学演習林軌道の２線のみである。

## 3. 戦後のイノベーション

イノベーションは技術革新の意味だが，制度や方法をガラッと変えるのもイノベーションと解釈する。戦後になると，浦幌の林業においてもイノベーションが行われた。まず樹種についてのイノベーションである。戦前の浦幌の造林地は広葉樹が中心で，その面積当たりの森林資源量も少なく，さらに経済性が低い薪炭材などにしか使われていなかった。しかし，戦後の復興需要を背景に，成長が早く寒さに強いという理由で，もともと北海道には生育していなかった針葉樹のカラマツの苗木が本州から持ち込まれ植えられることになった。高度成長期初期には年900ヘクタールという勢いでカラマツ造林が増えた。しかし，建築材に利用する目的で植えられたカラマツだったが，その欠点としてねじれが発生しやすいという性質があり，建築材としては歓迎されなかった。そのため，浦幌町ではカラマツ利用に向けた試験研究が行われ，1975年には町内の関係団体からなる十勝地方カラマツ利用開発推進協議会が立ち上げられ，カラマツを使用した家具などの開発に力が入れられた。1981年には，東京の高島屋デパートの物産展に十勝のカラマツで作り上げられた家具が出品された。このほかにも，後述の浦幌森林公園のステージを作る際も鉄骨に加えて十勝産のカラマツが利用されるなどの努力が続けられた。

一方，このように需要の発掘に苦心していたカラマツであるが，現在ではすっかり様変わりしている。2014年に開発された「コアドライ」という新たな乾燥技術により，カラマツの木材としての弱点でねじれや割れを抑えることが可能となった。これにより，もともと高い強度を有しいているカラマツは建築材としての需要・利用が急拡大し，今や北海道林業の主力樹種となっている。「コアドライ」の開発は北海道林業にとってまさに文字通りイノベーションであったと言える。浦幌町では，年間の素材生産量13万1,000m$^3$のち約75％に当たる9万8,000m$^3$をカラマツが占めており（2019年度），この豊富なカラマツ資源を有することが今や浦幌林業にとって大きな強みとなっている。

また，山の中から伐木を運び出す手段も変える必要があった。戦前は冬に馬にそりを付けて運び出すという方法であった。だがそれは非効率的なので，次第に林道が造られるようになった。1955年の北海道林道開設事業補助規則の制定以降，本格的な補助と融資がなされ，次々に林道が開設された。浦幌では1996年に林道が約85kmまで伸びた。2019年度末には，約352kmとさらに増加したが，林内林道密度は10.5m/haにとどまっている。他の十勝管内の市町村に25m/haを超えるものがある（鹿追町，中札内村）ことを考慮すると，更なる林道の延伸を検討すべきなのかもしれない。

道具に関してのイノベーションとして，1957～1959年にかけて国有林ではチェーンソーが導入され伐木作業の負担が軽減されるようになった。1961年に道有林（厚岸林務署）でチェーンソーが購入された。その便利さからその後民有林にもチェーンソーが導入されていった。

## 4. 林業技術の伝承

1998年，北海道は「伝承の森」制度を発足した。北海道では地域林業に貢献してきた人たちが無数にいた。その人たちの技術や経営理念をその人たちの代で終わらせるのではなく，継承させる必要がある。そこで，北海道は山づくり技術活用事業実施要領を定めた。それに従って，模範となる森林を「林業技術伝承の森」として選定し，その森林を作り上げげた人たちを顕彰することとした。この目的は，第1に森林所有者への技術や経営理念の継承を行うこと，第2に一般住民への森林・林業への理解促進や普及啓発を行うことであった。市町村長が地元の「伝承の森」候補者を知事に推薦する形で，1998年度から3年間で，全北海道で30か所を選定した。浦幌では，1998年に時和カラマツの人工林41haを所有する杉江英雄氏が選定された。同氏は，森制定後に林業関係者を対象とした塾を開催するなど技術の継承に尽力し，2020年には公益社団法人大日本山林会の主催する全国林業経営推奨行事において林野庁長官賞を受賞した。

また，浦幌には，飛田山林，石井山林など優良な林業地が存在している。これらは，篤林家の手により，天然力を生かした多様な樹種が生育する美しい森へと誘導されているほか，路網も高密度で整備されており，模範的な森林として全国的にも認知されている。石井山林については，2011年に石井氏から三井物産株式会社に所有権が移ったが，石井氏の経営方針は引き継がれ，高密度路網を基盤とした天然更新を活用した皆伐を行わない林業が継続されている。なお，石井山林には1926年に植栽された北海道で最古ともいわれるカラマツ人工林が存在する。

## 5. ハーベスターの開発

これはインキュベーションの章に回すのが適当かもしれないがこ

こで紹介する。林業に欠かせないハーベスターという大型機械がある。「木を伐る」「枝を払う」「一定の長さに切り分ける」という3つの作業を運転台に座りながら行うことができる。長いアームの先にこの3つの作業を行える作業部がついている。1本の丸太を持ち上げた後一定の長さに切り分けられるまであっという間の時間で済む。この機械の登場のおかげで，林業の重労働が大幅に軽減された。林業に従事する若者の中には高校時代の職業見学などでハーベスターを見て，その魅力に惹かれて林業の世界に入ったという者も少なくないという。この機械は労働軽減を通して若者を林業に呼び込む誘因にもなっており，林業にとって価値の高い機械である。

もともとハーベスターはヨーロッパで発明・開発されたものだが，実は，このハーベスターを日本で初めて開発したのは浦幌町の企業である玉置機械工業機械（代表取締役玉置保明）である。同社は，もともとグラップル（ものを掴む機能を有する油圧ショベルのアタッチメント。林業では，伐倒した木の運搬やトラックへの積み込みなどに使われる。）を製造していたが，ハーベスターに関心をもった当時の社長が海外でハーベスターのスケッチを描き，それを基に，前述の3つの作業をこなせる高性能ハーベスターを開発した。同社は，優良技術開発賞（1995年），北海道工業技術ワンラックアップ優良事例などに選ばれている技術力の高い企業だった。それまで開発してきた機種をうまく組み合わせてハーベスターを作り上げた。業界で注目されたのは言うまでもない。いまや，イワフジ工業株式会社，株式会社南星機械などの国内メーカー，Keto社，KESLA社，Konrad社などの海外メーカーがハーベスターの市場を占めてしまっているが，日本で初めて開発されたのが浦幌町の企業であったことは記憶にとどめておきたい。また，同社は，現在は丸太のトラックへの積み込みを行うグラップルクレーンを主に製造しており，壊れたときにはすぐ直しに来てくれるという浦幌町の林業関係者にとって頼りになる存在であり続けている。

## 6. 木炭産業

浦幌で木炭の話は欠かせない。木炭を作ることを製炭という。十勝地方では，明治後期になり製炭が行われるようになった。農業は順風満帆とはいかず収穫の少ない年もあった。製炭はそうしたときに稼げる貴重な収入源だった。大正になるとカシワの樹皮を使ったタンニン生産が盛んになった。皮をはがされたカシワの木は立木のまま放置されていたので，それを使って製炭が行われるようになった。明治時代は個々の家の副業であった製炭を浦幌で職業的に始めたのは樋示伝之助という人物であった。大正7年（1918年）頃に開始し，大正10年（1921年）頃に業として経営されるようになった。有名な経営者は中川北松，森直樹らである。特に森直樹は大正12，3年ごろに月1,300俵もの木炭を浦幌の外に売りさばいていた。その後，大滝滝次郎，丹羽源一，大谷鉄次郎兄弟らが起業した。だが，当初は経営が未熟で，品質不良品が多々混じっていて信用を失ったり，炭の焼子（炭を焼く役割の人）に不真面目な労働者がいたりして，経営赤字に陥ったケースもあった。ただし，製炭業は昭和10年（1935年）頃まで隆盛であった。浦幌の製炭は合計で月5万俵もの生産高であったという。

十勝では，大正14年十勝木炭移出組合が結成された。前述の中川北松，森直樹が代議員として参画した。前述のように，不良品が混ざるのを防ぐため，炭を検査する制度を設け，その検査のための検査員の教育を行った。大正14年旧浦幌小学校で，十勝で初の木炭製造講習会が開催された。50名の参加者のうち優秀な15名を木炭検査者として十勝の各町村に派遣した。浦幌では佐藤金次郎が初代検査員として活躍した。そのおかげで浦幌の木炭の品質が守られた。

戦後の1947年，浦幌には，北村製炭部，畠山製炭所，木下製炭部の3つの製炭業者がいた。木炭の需要が高まり，1957年には過去にない最盛期を迎えたという。ただし，その後木炭は電気，ガス，石油にとってかわられていった。家庭の燃料消費内容が大きく変わったからである。1984年の木炭生産量は1956年に比べて，1.4%にまで減ってしまった。まさに百分の1近くまでの減産となった。この結果，昭和の期間にすべての製炭部が閉じてしまった。

一方，1980年高齢者生産活動センターが一窯を造り木炭の製造を始めた。1993年に共栄の個人が，そして1994年に留真の個人が木炭の生産を開始した。1998年度においてこの3か所での木炭生産は約150トンに達したが，その後，木炭生産は縮小し，町内で木炭生産を営むのは佐藤行雄氏の炭窯のみとなった。2021年には，佐藤氏の引退により産業消滅の危機に陥いったが，勤務する木材会社で佐藤氏の木炭の取扱い経験もあった背古円氏が株式会社浦幌木炭を設立し，佐藤氏を技術指導役として同社に招く形で技術・事業が継承されている。

世界的に見ても，気候変動の意識の高まりと研究開発による使用用途の拡大を背景に，木炭を含むバイオ炭(注15)に対して更なる注目が集まっている。例えば，2019年度には，農地へのバイオ炭の土壌改良剤としての施用を国際的な温室効果ガスの排出・吸収量報告（温室効果ガスインベントリ報告）における温室効果ガスを吸収する取

---

（注15）バイオ炭とは，「燃焼しない水準に管理された酸素濃度の下，350℃超の温度でバイオマスを加熱して作られる固形物」であるが，簡単に言うと木炭や竹炭などのことである。

組の1項目として認められことになった。これは，木材や竹などを炭化し，バイオ炭として土壌に施用することで，その炭素を土壌に閉じ込め（「炭素貯留」），大気中への放出を減らすことが可能になるという考えに基づくものである。これにより，農家は木炭を土壌改良剤として農地に撒くことで，その排出削減量をクレジット化し販売して収入を得ることができる（日本においては政府のJクレジット制度に基づきそれらを実施できる）。土壌改良剤などを主軸におくバイオ炭と，良質な木炭製造を伝統とする浦幌町の木炭製造を同列に見ることはできないのかもしれないが，世界的なバイオ炭への注目という社会的潮流もうまく取り込みながら，100年続く浦幌町の木炭生産が未来に向けて継続・発展していくことを期待する。

## 7. 製材業

1924年に池端伊太郎が木材工場を作ったのが浦幌での製材業の始まりだった。当時の原木の輸送手段は浦幌川であった。川といっても船ではない。上流で伐採した木をそのまま川に流して浦幌まで運び陸揚げした。その作業を請け負っていたのが田中忠助であり，本土から10人の労働者を呼んで，この工程を行っていた。

1960年前後浦幌は木材のまち浦幌と称されるほど，林業と木材関連の業種が盛んだった。このころ多くの企業が活動をしていた。浦幌駅西側には貯木場があり，そこは原木の山で埋まっていたそうである。だが，日本では戦後の経済復興に木材が足りず，木材貿易はいち早く自由化され，国産材より安価で安定したロットが確保できる外材の輸入量が年々増大していった。それに歩調を合わせるかのように国内の林業は後退した。浦幌も外材の圧力に屈し，それまでカツラ材，ナラ材の取引が中心だった浦幌の木材取引はカラマツが中心となった。2000年ごろには，町内で製材業を営むのは，木下林業(株)，(株)エム・ケイ，北村林業(株)，東栄木材工業(株)の4社にまで減り，さらに，現在は，木下林業(株)が唯一いわゆる製材業を営んでいる。なお，チップ製造については，木下林業(株)に加え，(株)エム・ケイ，北村林業(株)の3社が実施している。現在，原木は町内でのチップとしての消費を除くと，ほとんどが十勝地方，オホーツク地方の合板工場に出荷されている。

## 8. うらほろ森林公園

東山公園の136ヘクタールに森林公園が造成された。現在の森林公園の位置である。1975年に着工し，2年後の1977年に完成した。その目的は森林生産の増産である。人工林育成，優良天然林の保管管理，保健休養機能を通してこの目的を達成する計画であった。地元の人たちや商工青年部員らの協力を得て，花木が植栽され，林間歩道が造られ，そして自然や動植物と触れ合う休養林が整備された。また，林間広場，キャンプ場，管理棟も増設された。1980年から1981年には，休憩施設，アスレチック，バーベキューハウス，売店も追加して整備された。1990年までに70万人もの人が利用したが，レジャーの多様化もあり，レジャーや観光としての利用法も考えられた。1990年に「森林公園基本計画」を改めて策定し，この場を観光地としても位置付ける方針も決まった。1993年から森林キャンプ場，遊具，エントランス広場が設置された。2000年には地域住民の郷土意識を高め，健康を増進し，福祉を向上させるために「ふるさとみのり館」も完成した。その他にも時代の変化に応じた様々なニーズにこたえられるよう改良・増設が重ねられた。オートキャンプの需要にこたえるため1999年にはオートキャンプ場が出来上がった。20区画あり，炊事・水洗トイレ棟が完備された。他の地域から浦幌に来る手段の多くが自動車だったのでオートキャンプ場の存在は利用者にも便利であった。この頃から来場者が急激に増え，森林公園オートキャンプ場は賑わいを見せた。

## 9. 浦幌林業界への町外の異分野人材の取り込み

多くの日本の地方自治体と同様に浦幌町は人口が減少している。1960年の1万4,000人をピークに長期的な減少傾向となり，2021年11月末時点で4,423人まで減少している。林業にフォーカスして見ても，図表4-2に示す通り，就業人口は1970年の476人をピークとして減少傾向が続き，2015年には1970年当時の約6分の1

**図表4-2　浦幌町の林業の就業人口の推移**

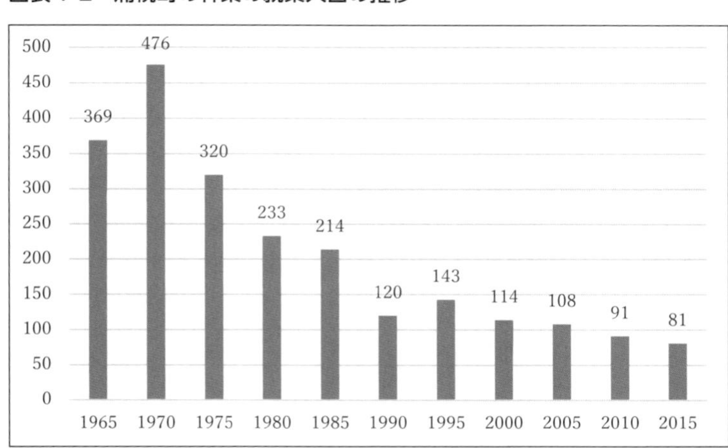


出所：総務省「国勢調査」を基に筆者作成。

の81名まで激減している。

これに加え高齢化も進んでおり，浦幌林業界は深刻な人手・人材不足に陥っている。それらの解消を目指して，前章で説明した「うらほろスタイル」において2013年に「若者のしごと創造事業」を開始した。当事業では林業だけでなく様々な産業における若者に魅力ある雇用機会の創出が行われている。その中で特に林業に関連が深い取組を紹介したい。1つは林業の担い手の育成のための「地域おこし協力隊」制度の活用である。「地域おこし協力隊」制度は総務省の施策であり，都市地域から過疎地域等の条件不利地域に移住して，地域ブランドや地場産品の開発・販売・PR等の地域おこし支援や，農林水産業への従事，住民支援などの「地域協力活動」を行いながら，その地域への定住・定着を図る取組である。自治体は隊員を受け入れることで1人当たり最大470万円の特別交付税措置を受けることができる。2020年度は全国で5,560人の隊員が1,065自治体で活躍しているが，任期終了後の隊員のその地域への定住率が65%を誇っている。浦幌町も積極的にこの制度を活用しており，2021年度は11名の地域おこし協力隊が活動している。そのうち2名が「林業担い手担当」であるが，彼らは町内の森林組合や林業事業体での林業の実務や木工製品の開発などに関わることで，制度期間終了後の浦幌町の林業における起業や就業，それを通じた定住が期待されている。

もう1つの取組は「うらほろワークキャンプ」である。これは，ヤフージャパンとロート製薬で働く社員が浦幌町の経営者らと共同で地域課題を解決する新規事業を考えるというもので，1年間のインキュベーション期間を経て，林業分野については前章でご紹介したデジタル森林浴を展開するフォレストデジタル社のほか，浦幌町のカラマツを活用した木工商品のデザインや製造販売などを行う

BATONPLUS（バトンプラス）の2社が誕生した。フォレストデジタル社についてはヤフージャパンの社員であった辻木勇二氏が立ち上げたものであるが，BATONPLUSは浦幌町で北村林業を営む北村昌俊氏が立ち上げた会社である。大変興味深いのが，BATONPLUSでは，ヤフージャパンやロート製薬などの首都圏の会社で働きながら副業としてBATONPLUSに携わっている社員が複数いるという点である。この副業社員たちは首都圏でのマーケティングや営業などを担当しており，町外の優秀な人材の取り込みと首都圏での営業チャンネルの確保との一挙両得の方策であるように感じられる。

本稿の筆者らも米国シアトルや東京で公務員として働きながら，北海道弟子屈町を拠点とした地域資源の有効活用に取り組む一般社団法人Pine Graceの運営に携わっているが，パンデミック以降にオンライン会議などのテレワーク用のツールが普及したことにより，都市部の人間が地域の産業や活動に貢献できるチャンスが大きく拡大しているように感じる。副業とテレワークの2つの要素を組み合わせる効果は非常に大きく，転職と移住という都市人材にとっての2大ハードルを取り除くことができる。また，副業ということで通常であれば高額の給料を支払わないと獲得できない優秀で高度な専門性を有する人材も比較的リーズナブルな人件費で獲得できる可能性も広がる。このように都市部人材による地方企業におけるリモート副業は，深刻な人材不足・人手不足に悩む地方にとって強力なツールになりうるであろう。一方で，これまで地域の中だけで完結していたビジネスを行ってきた事業者・組織はホームページすらもっていないことも少なくなく，都市部の人間からすると，地方に自身のスキルや経験を活かすことのできる機会があるのかについての情報を得ることは容易ではない。そのため，都市部人材を呼び込むには，まずは地域にどういったチャンスがあるのかを積極的に発信することを意識することが必要である。それに加えて，浦幌町が実施したようにワークキャンプなどを通じて，地域を好きになってもらい，地域の課題をジブンゴトとしてとらえてもらうプロセスを経ることができる機会を提供することが重要である。単なる労働とその対価の支払いを提供するだけでは優秀な人材を確保することは不可能に近い。浦幌町の林業における都市部のビジネス人材の取り込みの成功は全国的にも珍しい事例であり，今後もその新たな展開が期待される。

外部の異分野人材を縮小する浦幌町林業界にうまく取り込んだ成果は非常に大きい。例えば，浦幌町の81名の日々の業務に追われる林業従事者だけでは，フォレストデジタル社のデジタル森林浴を提供するというビジネスのアイディアは生まれなかっただろうし，仮にアイディアを思いついてもその実現は難しかったであろう。

通常，林業のリクルーティングは，地元の高校や林業大学校に照準を絞るか，ハローワークなどを通じて重機の運転ができる人材を確保するということが多い。このような初めから林業に興味をある人材，林業で生かせる能力を有する人材を一本釣りないし公募して採用し，林業現場に送り込むという手法はまさに効率的かつ典型的な手法であり，多くの産業においてもこの手法が用いられている。しかしながら，いきなり現場に送り込むという方法では，採用した人材の理想と現実のギャップが生じる可能性もあり，離職が生じる遠因の一つにもなっている。これに対して，浦幌町では，様々な地域の仕事を体験することができる。具体的には，浦幌町は2022年4月に就業促進ポータルサイト「つつうらうら」を立ち上げており，当該サイト上で町内事業者の求人・就業体験受入情報，町での楽しみ方や滞在の様子などを提供している。このサイトを通じて，ユーザーは浦幌町にどのような産業があり，どのような仕事があるかの情報を得ることができるし，気になる仕事があれば「就業体験」を行うことができる（さらに，「就業体験」を行った他社の口コミを見ることさえできる！）。2022年8月2日現在，株式会社浦幌木炭，木下林業株式会社，北村林業株式会社の3つの浦幌町の林業関連会社がこの「就業体験」を提供している。ユーザーは就業体験を通じて，自身が林業に興味や適正を持っているか，その会社の理念に共感できるかを確認することができ，そのプロセスの後に林業に就職することが可能となっている。つまり，求職者と仕事とのマッチングを，時間をかけて非常に丁寧に行っていると言える。人手不足が深刻化している場合，より効率的な前者のリクルーティングプロセスが採られることが一般的であるが，浦幌町林業界は求職者のペースに合わす努力を行っている。ビジネスとしての効率性や成長のみを追求することが全てではないという浦幌町の哲学が現れていると言えよう。

## 10. 他産業とのつながりを増す浦幌林業

林業は，①就業人口が少ない，②ビジネスの形態がB to Bかつ流通経路が複雑である，③作業が山の中で行われることなどから，一般消費者から比較的縁遠い産業であると言える。加えて，林業は他の産業との関連性も低いことが知られており，環境省の「地域経済循環分析」において計算された各都道府県の林業の影響力係数，感応度分係数は47都道府県全てにおいて両方とも1未満であることが示されている。影響力係数　感応度分係数は産業の連関分析を行うための指標であるが，前者は当該産業における新たな需要が全産業に与える影響の強さの指標であり，後者は全産業に対する新たな需要による当該産業が受ける影響の強さの指標であり，共に1以上であれば影響が比較的強く，1未満であれば影響が比較的弱いと見なされる。つまり，影響力係数，感応度分係数が両方とも1未満であるということは，他産業に対して影響も与えにくいし，他産業からの影響も受けにくくことを意味する。なぜ林業が他産業に影響を与えにくいかについては，林業と他産業間の取引がそもそも少ないことに加え，各都道府県において林業の経済規模が他産業のそれに対して相対的に小さいこと（2020年の日本の実質GDPに占める林業のGDPは0.04%しかない）が挙げられる。仮に林業の需要が多少増えたところで日本経済全体から見ると微々たるものなのである。他方，林業が他産業からの影響を受けにくい理由としては，こちらも他産業との取引がそもそも少ないことに加え，公共投資への依存性が非常に高いことが挙げられる。国有林やその他の公有林の造林や間伐などの森林施業は100%公的資金で賄われているし，民有林においても森林施業の約98%は公的資金が投入されており，他産業の景気動向よりも公的投資の多寡の方が林業活動の盛衰への影響が大きいのである。このように，他産業との関連性が薄いという産業構造では，他産業の新たな技術や知見，アイディアなどが伝播しにくく技術進歩の遅れにもつながることが懸念されるため，その閉鎖性を打破することが求められている。

一方で，浦幌町の林業については，図表4-3に示す通り，影響力係数・感応度係数ともに1よりも大きく，浦幌町において林業が地域の取引の中心産業の1つとなっていることが示されている。さらに，影響力係数・感応度係数ともに2010年から2015年の間に上昇しており，浦幌町経済における林業の存在が益々大きくなっていることがうかがえる。先述の通り，2013年に「若者の雇用創造事業」を開始し，町外人材の取り込みや地域資源を生かした新たなビ

**図表4-3　浦幌町の林業の影響力係数，感応度係数の推移**

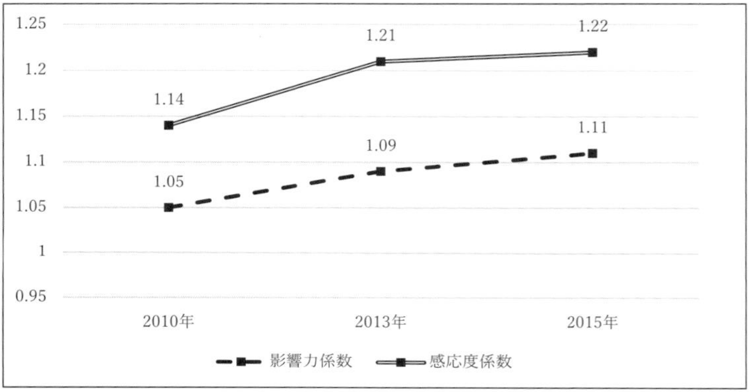

出所：環境省「地域経済循環分析」を基に筆者作成。

ジネスモデルの開発を進めていたことが林業と他産業との連携の機会創出を推進している要因の1つなのかもしれない。

## 11. 浦幌町における森林環境譲与税の活用

2019年3月に「森林環境税及び森林環境譲与税に関する法律」が成立し，「森林環境税」，「森林環境譲与税」が創設されることとなった。これらは簡単に言うと，新たに国民から1人あたり年額1,000円の「森林環境税」が徴収され，それを原資とした「森林環境譲与税」が市町村や都道府県に私有林人工林面積，林業就業者数及び人口による基準で按分して分配されるという仕組みで，市町村は森林環境譲与税を森林整備の促進や林業の担い手作りなどの「森林整備及びその促進に関する費用」に活用することができる。なお，少しややこしいのだが，森林環境税は2024年度から徴収されることとなっている一方で，森林環境譲与税は2019年度から自治体への分配が開始されている。2019～2023年度の間の財源はどうするのかというと，当初，総務省の「交付税及び譲与税配付金特別会計」において借入れをしてそれを原資にすることとなっていたが，2020年3月に「森林環境税及び森林環境譲与税に関する法律」が改正され，「交付税及び譲与税配付金特別会計」への借入れは行わず，地方公共団体金融機構の公庫債権金利変動準備金を活用して行くこととなった。森林環境譲与税の譲与額（自治体へ分配する総額）は全額の600億円になるまで毎年度徐々に増やしていくこととなっていたが，2020年3月の法改正によりその増額が大幅に前倒しとなり，2020年度，2021年度は400億円（当初は200億円），2022年度，2023年度は500億円（当初は300億円），2024年度以降は600億円（当初は400億円で，2024年以降も徐々に増やしていき2033年にようやく全額の600億円とする予定であった）にするとされている。増額の前倒しの理由としては，2019年度に多発した台風災害による被害状況などを考慮して，森林環境譲与税を前倒して配分することで，災害からの復興を支援するとともに，森林整備を促し，森林の持つ土砂災害防止機能などを強化するためだとされている。

さて，浦幌町では，この森林環境譲与税に関して「浦幌町森林環境譲与税に係る基本方針」を公表して，2019年度から2023年度の森林環境譲与税の活用方針として図表4-4に示す4つの柱を掲げている。

これらの基本方針に基づき，2020年度には私有林の整備への補助，林道や遊歩道等の改修，木工体験会のための拠点整備やフォレストデジタル社の技術による首都圏での浦幌の森林浴のデジタル体験の提供などを実施し，5,234万円の森林環境譲与税が活用されて

**図表4-4　浦幌町森林環境譲与税に係る基本方針における4つの柱**

| | |
|---|---|
| 1 町民の理解と参画による森林づくり | 森林づくり活動の支援や町民の皆様に森林の大切さや森林づくり活動の意義などについて理解を深めていただくため，普及啓発活動に取り組むなど，町民参加の森林づくりを推進します。 |
| 2 公益的機能を重視した森林づくり | 公益的機能の維持・増進を計るため，適切な森林整備と公益上重要な森林の公有林整備，希少動植物の生息・生育地の保護などにより，将来にわたって全ての町民が恩恵を受けることができる健全で多様な森林づくりを進めます。 |
| 3 資源の循環利用による森林づくり | 木材の良さや木材利用の意義を町民に伝え，利用を喚起するための普及・PRに取り組むとともに，木に触れ，親しむ機会の創出に努めます。 |
| 4 森林を守り育む次代の人づくり | 森林の恩恵を将来にわたって全ての町民が享受していくためには，世代を超えた取組が必要であることから，子供から大人まで全ての世代を通じた森林環境教育や木育を推進し，森林づくりの次代を担う人づくりを計ります。 |

いる。なお，そのうち1,462万円は森林環境譲与税基金に積み立てられているが，同基金は2019年6月に施行された浦幌町森林環境譲与税基金条例により設置されたものである。ちなみに，森林環境譲与税を積み立てる基金はほとんどの市町村が設置しているが，具体的な使途を決定せずに森林環境譲与税の全額を基金に積み立てている自治体も少なくなく，税金の有効活用として問題視されることも少なくない。

一方，浦幌町役場の林業関係予算の決算額は，農林業センサス2020によると，2019年度は1億9,181万円となっている。うち1億2,166万円は町有林野特別会計のものであり，一般会計における林業関係予算は7,015万円と推測ができる。これにより，浦幌町は，従来の約7,000万円の林業事業支出に対し，2020年度にはその約75%に当たる約5,200万円の森林環境譲与税を得ていたことになっていることがわかる。また，前述の通り，2020年度に400億円だった森林環境譲与税の総額は，2024年度以降は600億円に1.5倍に増額される予定であり，浦幌町に配分される森林環境譲与税も5,234万円の約1.5倍の7,850万円/年程度になると推測される。これにより，私有林政策の更なる充実が期待される。

## 12. 最後に

浦幌町の林業を見たときに，もっとも印象的なことはマクロとミクロとでは印象が全く違うということである。マクロで見たとき，浦幌林業は急激な就業人口の減少，製材所の数の減少，木炭生産の消滅の危機など，暗い話題が目に付く。将来にわたっても，人口動態の予測などを考慮に入れると，浦幌町の林業の経済規模などの数字が急成長することは残念ながらあまり考えにくい。一方，ミクロで見たときには，都会の異分野人材の参入促進やそれを通じた森林を活かした新規ビジネスの創出，林業への就業体験やその口コミの提供などの全国でも例のない革新的な人材マッチングシステムの展開など，刺激的でわくわくするような動きが見えてくる。

町づくりや産業振興を考えた時に，人はマクロ的な経済指標の成長を目標としがちである。しかしながら，浦幌町をはじめとした少子高齢化が深刻化する日本の多くの山村地域において，マクロ的な経済指標の成長を目標としてそれを達成することは現実的ではないことも少なくない。浦幌町も林業のマクロ的な成長を志向しておらず，図表4-5の通り，「浦幌町第4期まちづくり計画」(注16) において

---

（注16）まちづくりの基本的方向性を示す同町の最上位計画。計画対象期間は，2021年度～2030年度までの10年間。

**図表4-5　浦幌町第４期まちづくり計画における林業振興の指標（抜粋）**

| 指標名 | 現状値<br>(2021年度) | 目標中間値<br>(2025年度) | 目標値<br>(2030年度) |
|---|---|---|---|
| 人工造林(植栽)面積 | 243ha | 150ha | 150ha |
| 人工林除間伐面積 | 445ha | 400ha | 400ha |

出所：「浦幌町第４期まちづくり計画」を基に筆者作成。

は，将来（2030年）における林業の施業量は現状値（2021年）よりも低いものが設定されている。

仮に行政担当者であるならば，マクロ的な数字が衰退の一途を示していることを目にして，自分たちがやってきたことは焼け石に水だったのではないかと愕然としたことがある者も少なくないだろう。しかし，浦幌町の林業界の動きは，成長を志向することが全てではないことを改めて教えてくる。残存した浦幌町の製材所の中には，自身の置かれた状況を「ブルーオーシャン」だと形容する者もいる。製材所や林業事業体などの供給者の数が減った一方で，地域の木材需要は引き続き存在しており，彼らは残存者利益を享受している状態になっている。この残存者利益を維持していこうとしたとき，地理的制約（属地性）の強い林業・木材産業において，「事業拡大」という選択肢はあまり得策ではない。なぜならば，特定の地域内の木材需要は限られており，新規需要を得るには他の地域に進出し，その地域の需要を奪う必要が出てくるからだ。それは，自ら競争を引き起こしにいくようなもので，ブルーオーシャンという環境を自ら捨てにいくことを意味する。一方で，浦幌町林業界のアプローチは，単純な事業拡大ではなく，異分野人材との連携による今までにない新規ビジネスの創出である。このやり方により，林業・

木材産業におけるブルーオーシャンを維持しつつ，他品目や他産業などの地域内の既存事業と競合しない分野でのチャレンジが行われている。少子高齢化という厳しい現状の中で，地域の一員として，持続可能なビジネスを目指し熟考した帰結をそこに見ることができる。

**参考資料**


浦幌町百年史編さん委員会（1999）『浦幌町百年史』浦幌町役場，pp.420-442.

農林水産省（2020）『農林業センサス2020』農林統計協会，pp.1-365.

浦幌町（2019）『浦幌町森林整備計画（計画期間　自平成31年4月1日至平成41年3月31日）』

浦幌町（2020）『浦幌町第4期まちづくり計画』（計画期間　自令和3年4月1日　至令和13年3月31日）

北海道十勝総合振興局産業振興部林務課（2021）『十勝の民有林2021（資料編）』

本田知之（2020）「“The Great Lockdown”からの経済の立て直し～グローバル視点とローカル視点から～」『コロナ時代の経済復興―専門家40人からの緊急提言―』創成社，pp.177-186.

水野勝之，土居拓務，安藤詩緒，井草剛，竹田英司（2019）『林業の計量経済分析』五絃舎，pp.1-123.

水野勝之，土居拓務，本田知之，中村賢軌（2020）『研究書解説冊子 林業の計量経済分析』五絃舎，pp.1-24.

# 第5章　浦幌のイノベーション

水野　勝之，水野勝之ゼミナール（柴田 優香）

## 1. イノベーション

### 1）イノベーション

新聞などでよく目にするイノベーションという言葉の意味は「技術革新」のことである。皆さんご存じのように，社会では新しい技術が次から次に生み出されている。それによって，我々の生活は便利になっている。消費では新しく便利なものを使うことができる。生産・労働面では，過酷な労働から解放される。これらの実現は技術革新あってのことである。かくして，イノベーションは我々の経済生活を豊かにしてくれる大きな要因である。

反面，イノベーションは良いことばかりではない。技術革新というのは，多く人の行っていた仕事を少数の機械が行うように改めることでもある。人が作業を行うと，膨大な人数や時間を要する。しかし，その作業を機械が行えることになると，その手間が省かれ，効率的になる。ところが，その結果として多くの人が職を失うことになる。子どもの頃にあったお店や職業が消えてしまった，あるいは少なくなってしまったという経験をした人も多かろう。これがイノベーションの「光と影」の影の部分である。このため，歴史においてイノベーションが起こると労働者が危機感を持った。イギリスの産業革命時，ラッダイト運動というイノベーション反対労働運動も起きた。現在のイノベーションも，2045年には人間の仕事がすべて機械で置き換えられるという説まで出てきていて心配されている。

現在までのところ，経済学者のシュンペーターが唱えた「創造的破壊」という考えの中（雇用の破壊であぶれた人は他方での雇用の創造で吸収される）に収まってこのような恐れは解決されてきた。イノベーションによって消える仕事よりもそれによって生み出される仕事のほうが多いのが歴史であった。

### 2）地域のイノベーション

イノベーションは日本全体だけの話というわけではない。地域や各企業のイノベーションもある。地域のイノベーションの場合，その地域で生み出された技術で地域活性化することを指すのかというとそうではない。他の地域や他国で生み出された技術をいかに取り込むかまでを含めて地域イノベーションと見なされる。また，技術の革新だけでなく，制度や政策の革新的な変更も（広義の）地域イノベーションと見なす。本章ではイノベーションを広義でとらえて，大なり小なり革新的なことはすべて地域イノベーションと見なす。決して浦幌での技術の創造ではないが，独自のものでなくても浦幌の人々が地域に適合させた革新的試みは浦幌イノベーションである。

浦幌町は地域が広く，雪が少なく，海あり，森林あり，川ありの素晴らしい環境である。この自然との組み合わせでも数々のイノベーションが生み出されている。技術革新だけでなく，様々な革新を含んだ地域イノベーションとして「浦幌イノベーション」について見ていくことにしよう。これから挙げる事例を見ると，イノベーションが浦幌の活性化に役立ってきたこと，そして役立つであろうことが理解できよう。

## 2. 浦幌のイノベーション

### 1）浦幌のイノベーション

イノベーションの意味に様々な工夫を加えるならば，浦幌の最大の，最高のイノベーションはうらほろスタイルである。（他章で触れるのでここでは深く触れないが）浦幌が誇る「うらほろスタイル」はまさに浦幌町が生み出したイノベーションである。成長過程で子どもたちの一度浦幌の外に出ていかざるを得ず，そのまま戻ってこないという課題を克服するために生み出された浦幌独自のイノベーションである。浦幌ならではの斬新な革新的政策であった。ここでは町としての発想の大胆な転換という意味で紹介したい。まず，中学校の授業での中学生の提案を大人たちが実現しようとしたのは前代未聞のことであった。いくら将来を担うといっても，子どもは所詮子どもと見なされがちである。大人がしっかり考えて実行して世の中は成り立つ。誰もがそう思うが，その発想を逆転させたわけである。子どもの企画を実行することで世の中を良くする。言うは易しだが，実現させるにはお金も多くの人員も伴う。その困難を実行させたのが浦幌町のうらほろスタイルという政策であった。役場がお金を出したり，民間がお金を出して実現させてきた。この逆転の発想は，広義でのイノベーションに相当する。

このイノベーション政策を浦幌町はどんどん全国に発信すればよい。日本一の政策である。このうらほろスタイル以外にも広義のイノベーション，本来の技術進歩という意味での狭義のイノベーションが浦幌ではたくさん実行されている。浦幌町でのイノベーションを紹介しよう。

### 2)「TOKOMURO Lab」―デジタル森林浴―

浦幌に行けば森林ばかり。何もいまさら森林浴の施設を作らなくてもよいのではと思うところだが，浦幌には危険な熊にも出会わず安全に森林浴を味わえる施設がある。廃校小学校利用施設「TOKOMURO Lab」の中にある「uralaa park urahoro（うららパーク浦幌)」という施設である。その施設をフォレストデジタル株式会社が運営している。後述のように，5面に映写される映画館のような造りである。中に入って上映中は，寝てもよいし，スマホを操作していてもよいとのこと。他の人に迷惑をかけなければ森林浴を自由に味わってよいということであろう。まさにその施設がリラックスするための空間であることが感じられる。目的が分かりやすい。

そこでは，ゴーグルをかけないでVR体験[注17]ができるという。仮想空間だと通常ゴーグルをつけて体験する。この施設の場合，実写なのでゴーグルは付けなくてよいという。その分，広い空間の中で違和感なくのびのびすることができる。浦幌に居ながらにして映像で，日本各地の森林の森林浴ができる。森林バージョンだけでなく，農場バージョンでは自分が農場にいる気分にもなれる。5面

---

（注17）「VRは『Virtual Reality』の略で,『人工現実感』や『仮想現実』と訳されています。ここには『表面的には現実ではないが，本質的には現実』という意味が含まれ，VRによって『限りなく実体験に近い体験が得られる』ということを示します。VRを通して得られるリアルな体験が，あたかも現実であるかのように感じられるということです。」以上は次の資料を引用（わかりやす方ため）。
「Vol.01 VRってどんな意味？ VRのしくみと活用事例」ELECOMHPより引用。（2022年3月4日確認）
https://www.elecom.co.jp/pickup/column/vr_column/00001/

（四方，および天井）の映像でまさにそこにいる気分になれ，森林浴が味わえる。日本初だというのであるから日本一に間違いなしである。ひいては日本一のイノベーションと言える。自然が映る映像を見ていると，その撮り方（空撮やウェアラブルなカメラなど）によっては酔ってしまう人もいるけれどここでは酔わない。映像が安定していてその変化が目まぐるしくないからである。北海道の森林だけでなく屋久島の縄文杉，沖縄のマングローブ林などもあるとのこと。もちろん十勝地方の森林浴の中に浦幌町の森林も含まれる。紅葉の留真の森林の映像などである。座りながらそれらの森林を散策できる。今は限られた森林だけだが，今後全国の森林浴ができるようになるかもしれない。それも春夏秋冬の森林浴を味わえるかもしれない。将来は世界各国の森林浴がその場で体験できるようになるかもしれない。

この装置は，なんと視覚的に見るだけではなく，においも伴う。森林の香りにはストレスを抑えるリラックス効果があると言われている。木からとれる精油にはリラックス効果があり，アカエゾマツ（北海道特有の木）という木の精油を使って筆者もリラックス実験を行ったことがある。その結果，木の精油には人をリラックスさせる成分が含まれていることが証明された。いまではその成分を使った商品が実用化されている。もっとも，浦幌の「uralaa park urahoro（うららパーク浦幌）」の場合周りが森林なので，窓を開ければ森林の香りが漂ってくるのかもしれないが，あえて人工的ににおわせているという。五感の視覚，臭覚が他の感覚にも伝わりリラックス効果が抜群である。

この技術は羽田空港にもお目見えした。2021年6月，「北海道どさんこプラザ羽田空港店」2層部のノースカフェ & BEERに常設された。天井までとはいかないが，ここでもデジタル大画面で森林浴を体験できる。空港利用者は，ビジネス客もいれば旅行客もいる。旅行客といえども，これから飛行機に乗るので緊張している。ビジネス客も旅行客もこの空間に行くと緊張がゆるみ，リラックスができる。浦幌発のイノベーションが全国への玄関と言われる羽田空港から広がっていくかもしれない。

今後このリラックス空間のシステムは全国に広がるのではないだろうか。一口メモにも記したが，この森林浴の人工空間は都会の人にも失われたリラックスの感触を取り戻してくれるからである。

**一口メモ　実際の見学の感想**
**「uralaa park urahoro（うららパーク浦幌）」**

2021年10月13日，現地の視察を行った。前後左右の4面と天井の1面の合計5面のスクリーンに囲まれた。この日の上映は北海道ではなく西表島の森林浴であった。まるでカヌーに乗って西表島の川を下っているかのような，川のそばで寝そべっているような感覚にとらわれた。風も感じ，森林のほのかな香りもただよい，おもわず寝入りたくなるような気持になった。この施設を都会の企業や大学に設置してくれたらストレスの多い会社員や大学生がさぞ癒されることであろう。

個人的な提案がある。第1は，デジタル森林浴の上映施設で，パラグライダーからの眺めも上映してみたらどうか。浦幌には，崖の上から海に飛び込むようなパラグライダー場がある。パラグライダーでの撮影はよくあるが，5面でその映像を見ることは他ではほとんどできない。この施設でその映像を醸成したらどうであろうか。（ただし，見ている人によっては酔う恐れがあるので短時間の映像が良かろう。）

第2は，羽田空港だけでなく都会の建物内にスタジオ施設を作るとよいということである。いまや大学も競争激化で，地域の過疎化とともに，大学の学生過疎化（定員割れ）が進んでいる。大学などは高校生にそのスタジオに来てもらい，学内の様子を映せる。あっちこっちを見るのではなく，学生が行きかう学内のロビーを数分間，学食を数分間，・・・などのように，その場にとどまり，そこに自分もいるかのように伝えられるのではないか。大学側としてもありがたい。遠方の大学（代わる代わる様々な大学が都心でオープンキャンパスを開ける），いくつかの校舎に分かれている大学などは便利である。
　以上が視察の雑感である。リラックス感，臨場感の二つが備わっているが，そのどちらか一方だけでも活用したい組織があるはずである。うららパーク浦幌の可能性は大きい。

## 3. 木材の付加価値化（参考資料は章末。以下同様）

　浦幌に木材の付加価値化を図っている若者の意欲的な会社がある。株式会社BATON+である。同じく前述の小学校廃校後の創業施設TOKOMURO Lab内にあり，この会社は（小学校の）音楽室を改装した部屋に位置する。林業家，若者，町が協力し合っての事業である。若者の問題意識は「何十年もかかって育った1本の木がたったの5,000円」。経済社会におけるこの厳しい現実に目を向け，その矛盾に立ち向かうための事業を起こした。
　木を加工し，木工品を作る会社である。そう聞くと，相当な熟練技術力を要するように思われる。木工品を加工し販売するとなると，何年も熟練し，零コンマ何ミリの世界までの精巧さを可能にするようなプロの技術が必要となると思われる。だが，ここではそうではない。いまやICT，AIの時代。3Dプリンターで繊細なものから大きな構造物までが造りうる。しかも零コンマ何ミリの精度で。この会社では，ソフトを使って自在に木を加工する。作成者に木工加工の技術力は必要ない。パソコンに企画した加工の指示をすれば，あとは機械が木工品を加工してくれる。小さな食器から大きな看板まで多彩な製品が作れる。木材は森林業者が提供し，「企業人が木材を使った商品開発やブランディング」（TOKOMURO　HP）するとのこと。まさに新しい形を生み出した事業であるといえよう。

**一口メモ　廃校利用のカフェ**

すでに述べたが，創業施設TOKOMURO Labは常室小学校の廃校を活用している。日本全国，各地で廃校利用では様々な工夫がなされている。浦幌の常室小学校の廃校では若者が起業するための施設になっている。中でもレストラン「トコムロカフェ」は見た目も味も素晴らしい食事を提供している。そのレストランは浦幌外からきて夫婦で経営しているという。筆者はシーフードカレー（正式名：厚内産魚介のシーカレー）を食したが（2021年10月），色彩豊かで，きめの細かい飾り付けがなされていた。食べてもシーフードの味を生かしたカレーの味付けで，再び浦幌に来て食べたいと思った料理であった。東京の一流レストランよりも優れているかもしれない（一流レストランといってもその料理を調理した人によって違ってくるが)。マスターに尋ねると「レシピも飾り方も妻が教えてくれた通りにやっている」とのこと。奥さんを立てているのは間違いないが，もしそれが事実ならば奥さんの料理もぜひ食してみたい。レストランオーナー夫婦は揃って料理上手なのであろう。

一方で残念な話がある。浦幌市街で，2021年10月とうとう老舗のレストラン「大和」が閉店してしまった。浦幌名物「スパゲティカツレツ（スパカツ)」を売りにしていた，地元に親しまれてきたお店だ。昼時はいつも超満員だった。その名店の閉店には寂しさがあったが，消えるものがあれば生まれてくるものもあるのが世の常である。新たに生まれた「トコムロカフェ」は「大和」に次ぐ，浦幌の味となりうる。ジビエ料理もある。同行者が「鹿肉丼」をおいしそうに食べていた。三越本店のデパート地下に売っているローストビーフ弁当にも負けない見た目であった。参加者全員が絶賛していた。このレストランは浦幌町の新たな至宝になりうるといえよう。

## 4. 木質ペレット

木質ペレットという言葉を聞いたことは大半の人があるかもしれない。近年は暖を取るのに木質ペレット用のストーブも売り出されている。だが，実際に木質ペレットを見たり使ったりしたことのある人は少ないかもしれない。木質ペレットとは間伐材や，木材工場から出る樹皮などの木のカスを細粉化し，もう一度円筒形に圧縮成形したものである。直径は1センチにも満たず，長さは5ミリから4センチくらいの小さいものである。木質ペレットは，おが粉を乾燥し圧縮成型した小粒の固形燃料といってもよいかもしれない[注18]。これを燃やすことによりストーブなどの燃料となる。

化石燃料が主流である中，木質ペレットは環境に配慮した燃料ということができる。燃やすと$CO_2$が排出されるので，2050年のカーボンニュートラルの$CO_2$排出ゼロにかなう環境保全の商品とは言えないかもしれないが，森林保全のためには間伐が不可欠で，そこから生まれた間伐材を社会に役立てることは環境保全にとって大きな意味がある。間伐した木は森林に放置しておくと新たな植林の妨げになる。ごみとして処理するにはお金がかかりすぎる。間伐材は厄介な存在だった。それを商品化できるのが木質ペレットであり，森林資源の有効活用を意味する。また，木材工場から出る，端材や樹皮などは単なるゴミに過ぎない。そのゴミも集めて木質ペレットとして資源化できる。こうした経済社会に役立たない間伐材，端材，樹皮などを燃料として利用するのであるから環境保全につながるのは言うまでもない。木質パレットの生産とその活用はごみを出さないリデュースを促進することにつながる。

この木質ペレットがいち早く浦幌町で製造された。株式会社エムケイが2010年に木質ペレット製造工場を完成させた。そこには前述の環境保全の精神があった。代表取締役木下政憲氏の言（株式会社エムケイHP)。「当社は永らくチップ製造業や製材業を経営していたことで，木を切り出した後の山には大量の林地残材が放置されて

（注18）一般社団法人日本木質ペレット協会HPより

いることを残念に思っていました。土に還るのを待つだけの林地残材は，新たな植林やその後の草刈り作業時の大きな妨げになるだけではなく，伸びた草の中に隠れてしまうと作業時の大きな怪我につながるという危険性もあります。そのため残念ながら，現在でも山では穴を掘って林地残材を埋めているというケースもあります」「この工場では，ペレット製造原料として林地残材等の木質を利用するだけではなく，製造工程で原料のおが粉を乾燥するための熱源としても木質資源を使用し，地産地消の徹底を心がけています。併設する工場で製造するウッドチップは，地元，うらほろ留真温泉の源泉を温めるチップボイラーの燃料として，また，最近では街路樹やホーストレッキングなどのクッション材やお庭に敷き詰めインテリアとしても多く利用されております」感激で鳥肌が立つような言葉である。まさにこの問題を解決するために，木質ペレット工場を建設したという。

筆者はかつて実際にこの工場の見学会に参加したことがある。製造過程を紹介しよう。専門的な内容になるので株式会社エムケイHPの引用となる（一部改変）[注19]。

①山に残っていた残材や薪をそのまま捨てるのではなく，それらを使って熱風を発生させる。貴重なエコ資源を無駄なく利用することにつながる。

②ペレット成型に適した水分含有量までおが粉を熱風で乾燥させる。

③ペレット成型機で大きな圧力をかけ，乾燥したおがくずをペレットの形に絞り出す。

④絞り出されたペレットは直ちに冷却されて保存される。

---

（注19）株式会社エムケイHPより

⑤完成したペレットを袋詰めする。

このプロセスを見ると，今まで捨てていた，あるいは放置されていた「森林での木の無駄な部分」が有効活用されていることが分かる。こうして出来上がった木質ペレットがペレットストーブやペレットボイラーの燃料として利用されるのである。

この時，将来のイノベーションで考えるべきことが2点ある。第1は，ペレットストーブの普及が全国の森林を救うほどには広がっていないことである。エアコンなどの風とは違い，火の暖かさは心も温める。火のぬくもりは精神状態も良好に保つ。だが，燃えカスの廃棄が必要となり，生活が忙しく労力を割けない一般家庭には普及しにくい。第2は，$CO_2$排出ゼロを目指すカーボンニュートラルに反してしまうことである。捨て去ることになる無駄な木を活用できる，せっかくの燃料でも，燃やすときに$CO_2$が発生してしまう。地球温暖化につながる。よって，木質ペレットの次に必要になるイノベーションはこれらの問題を解決してくれる技術開発でなければならない。

現時点では木質ペレットは環境保全（＝森林の整備）につながる重要な燃料である。ペレットが$CO_2$を発生させる分，森林がその分の$CO_2$を吸収するのでカーボンニュートラルであるかもしれない。せっかくの木質ペレットである。ペレットの利用について議論をより一層深めてほしい。

## 5. 雪室ジャガイモ

雪で野菜を冷やしておくだけでイノベーションか？近年雪を保存した倉庫に農産物を寝かせて甘みを増させる方法が普及してきた。農産物がおいしくなるというので評判である。電気での冷蔵を使わず，自然の雪での冷蔵なのでまさにSDGsやカーボンニュートラルの概念にマッチしている。しかも，その方が農産物がおいしくなる。まさに新たなイノベーションに他ならない。(豪雪地帯では道や屋根から取り除いた雪の処理に困っている。その雪を各倉庫の冷蔵に使えたらまさにウィンウィンの関係が発生する。)

筆者が約十年前に浦幌を訪れたとき，雪で野菜を冷やす施設を見学した。雪を積み入れた倉庫で農産物を寝かせて，そして出荷するという手法を見せていただいた。そのときは目からうろこのようだった。JAうらほろの「うらほろ雪氷貯蔵庫」のことである。2010年2月に新築された貯蔵庫内で雪をコンテナに入れ，その冷気でジャガイモを貯蔵し，出荷していた。新たな機械の技術開発ではなく，雪を使っての冷蔵保存という原始的な手法を使っての野菜の出荷はまさに天然資源活用のイノベーションに他ならなかった。その様子を各団体が視察のために頻繁に浦幌を訪れていたようである。

筆者は，地域連携を行う会社として，2006年に大学内ベンチャー株式会社アイ・フォスターを立ち上げた。その際，浦幌の商品を扱えないか浦幌を尋ねたとき紹介されたのがこの雪室ジャガイモであった。食べると甘くておいしく，とても東京では手に入らない品だった。早速仕入れさせてもらった。販路は学生たちがイベントで販売したり，明治大学内で販売する程度で終わってしまったが，浦幌の雪室ジャガイモについては評判がよく，毎年のリピーターが複数存在したほどである。

## 6. 浦幌神社

産学連携，産官学連携の例は頻繁に見る。産業と大学が組む，産業と大学と自治体が組むという例である。だが，産神連携はユニークである。つまり，産業と神様が一緒に取り組むという例はあまり聞いたことがない。それを実際に実行したのが浦幌にある浦幌神社である。産業と神社が連携して地域活性化に取り組んだのである。まさにこの連携こそ，あらたな形のイノベーションであろう。しかも，前述のイノベーションの成果である雪室ジャガイモをこの新たな連携イノベーションに組み合わせて発信したのである。

参考文献にあるエキサイトニュース2021年4月30日の記事を見てみよう。「浦幌神社は，5月1日より，十勝のじゃがいもをモチーフにしたおみくじ『やるなら今(いも)じゃが みくじ』(初穂料400円)を常設して授与する」とある。コロナ禍で浦幌の農業も経済的なダメージを受けているので浦幌神社が応援しようという姿勢である。

この産神連携の取り組みは北海道全体で行われているという。えぞみくじという取り組みである。えぞみくじとは，「その土地の名産品となっているものをモチーフとし，ユニークな方法で引くことができるおみくじ」(たのしいPTゴリランド)とのこと。「大大吉～凶の運勢，総評，願望，健康，仕事，恋愛，金運，学業，幸運の北海道名物，幸運の北海道名所」が書かれている。最後の「幸運の北海道名物」「幸運の北海道名所」が肝となっている。それを食すれば，あるいはそこに行けば幸運が待っている。同時にそれは北海道の名物・名所の宣伝にもなり，北海道の活性化に手を貸している。おみくじが地域活性化の役割を担っている。このえぞみくじに2021年5月より浦幌神社が参加した。

具体的には浦幌神社では浦幌のジャガイモの宣伝に貢献した。エキサイトニュースによれば，「特産品を楽しく知ってもらおうと，おみくじの引き方にも遊び心を取り入れ，土の代わりには地元の木質ペレットを使用した小さな畑をつくり，スコップで掘り起こし，じゃがいもみくじを収穫する引き方や，ふかしいものように蒸籠に並べたじゃがいもおみくじをトングでつかむ引き方を用意し」たとのこと。おみくじに景品があり，その景品の一つが浦幌の雪室ジャガイモであった。自分の運勢を知るだけでなく，雪室ジャガイモがもらえるという幸運に巡り合えるかもしれない。「吉」の人にとっては二重の幸運である。

えぞみくじに浦幌神社が参加し，産神連携で浦幌名産の雪室ジャガイモをアピールした事実は大きい。しかも，その特産にちなんで，浦幌特産の先述の木質ペレットを使って畑を模し，自分たちで収穫するかのようにおみくじを引く。この遊び心が，より一層観光客の気持ちを浦幌に引き付けることになろう。

### 宮司さんのお話

2021年10月14日，筆者が浦幌を訪問し，直接浦幌神社宮司の背古宗敬さんからお話を伺った。浦幌神社の説明を一通りなさった後，今回のえぞみくじ導入のお話をしてくださった。えぞみくじ同士で連携し北海道全体を盛り上げていきたい。そのために，浦幌神社もえぞみくじに参加したとのこと。「やるなら今ジャガ」の名称は家族で相談して決めたそうだ。木質ペレットの中からジャガイモおみくじを掘り出すアイデアも家族皆で考えたそうだ。ペレットを思いつく前は土で実験してみたが，跳ねて服が汚れてしまった。お参りに正装で訪れた人たちの服を汚すわけにはいかないと家族で頭を絞った結果，木質ペレットにたどり着いたそうである。雪室ジャガイモが景品になるのは限定期間だそうで，参拝客が多いお正月などは積極的に景品を出していきたいとのこと。

また，北海道はツーリング客も多いことからオートバイの安全も祈願できたらよいということでオートバイの安全祈願も始めている。オートバイの事故では大けがをしたり死亡する人が多く，危険が大きいからである。全国から多くのオートバイが訪れているそうである。また，最近は自転車の安全祈願も行っている。こちらはまだ広く知られてしないので，徐々に広まっていくことを期待しているという。２輪利用者が祈願できる神社が少ないため，彼らの安全を守っていきたいようだ。

宮司さんは町の教育委員も務めている。えぞみくじの導入をはじめ宮司として，そして教育面で町に貢献なさっている。多大な地域貢献をなさっている宮司さんである。

**一口メモ　浦幌神社**

北海道神社庁HPによれば，「伊勢神宮より『天照皇大神』の神璽を受け，明治29年8月15日，坂東農場内に社殿を御造営奉祀したのが始まりである」という。おっぱいの神様の乳神神社も境内社として併設されている。乳神神社は，子宝・安産・縁結び・病気平癒（婦人病）の守護神である（浦幌神社HP）。女性にとっては重要な神社である。乳がんなどについてもお守りしてもらえる。

## 7. ICTの活用（学生：柴田優香　2022年度明治大学商学部４年生）

### ――十勝ワーケーションガイドBOOK――

北海道は広い。しかも，本州などの地域から離れている。かつては，北海道の情報が本州などに伝わる際，ほんの一部で，しかも媒体を通しての伝わり方しかなかった。よって，途中で「情報が曲がって」も本州などの人たちはそのまま受け入れるしかなかった。北海道に実際に来てみたら本州で聴いたのとは大違いということもあった。だが，いまや時代は変わった。ICTの時代である。

一つはワーケーションとして北海道の各地がリモートワークの場

所として適しているかどうかの情報を提供できるようになった。ワーケーションとは，ワークとバケーションを組み合わせた造語であり，コロナ禍となって政府が推進した仕事の在り方の一つである。自宅や職場ではなく，そこから遠く離れた場所まで出かけて日常の仕事を行うことである。旅行をしながらその行き先で仕事をするイメージである。休暇を楽しみながらかつ仕事をするという，欲張りなパターンである。日常とは異なる環境で仕事をすることになる。筆者らの職場（明治大学駿河台校舎）の隣にある老舗ホテルでは，文豪がそこに滞在し執筆活動に専念したとのこと。東京都内ではあるが，ワーケーションの一つであろう。原稿書きに飽きたら，周りには神保町の本屋や飲食店が山ほどある。落ち着いた喫茶店もたくさんある。息抜きがしやすい環境である。政府が進めたワーケーションは，自宅にいながら行っていたリモートワークを，地方に出かけて滞在先などで行ったらどうかという提案だった。地方に出かけるまでもなく，都会の近郊でも十分行える。

日常とは異なる場所で，落ち着いて仕事ができ，かつ息抜きもできる。コロナ禍ではうつになる人が増えたというが，ワーケーションはうつ化を未然に防ぐ効用もある。場所を移動してのワーケーションを政府としては旅行業関係の業者を助ける目的でも推奨したが，実行した人にとっては健康上も大いにプラスとなろう。職種によって異なってくるかもしれないが，原稿を書いたり，書類を整理したり，創作活動を行ったりというように人間関係が密でない職種では，自宅や職場から離れての仕事は苦ではなかろう。また，リモートワークで十分こなせる仕事内容であるならば，企業が行うことも十分意味があるであろう。筆者らはワーケーション賛成派である。

### ワーケーション候補地としての浦幌

このワーケーションの最適な地域の一つとして浦幌町が挙げられる。ワーケーションの地として浦幌町を推薦する理由として，まず第1に浦幌町の交通の利便性があげられる。東京から行く場合，帯広空港と釧路空港の二つの空港を利用できる。かつては帯広空港の便数がJALに限られていて少なかったが，エアドゥやANAが就航して増便された。両空港の存在を考え合わせると様々な時間活用が考えられる。この両空港と浦幌の行き来についてはレンタカーが便利である。レンタカーは両空港で借りられる。制限時速を守って走行した場合でも，どちらも所要時間は約1時間である。空港から運転を開始した時点から日ごろの仕事環境とは異なりリラックスできる自然環境が味わえる。筆者の一人は午後浦幌町に着いてその夜東京に帰ったこともあった。浦幌町に仕事があり，やはり緊張感は持つのではあるが，運転しながら見る十勝の景色に癒されたのを覚えている。浦幌町は東京から至便であり，交通の面で浦幌町はワーケーションの地として最適な地であるといえよう。

北海道経済産業局は「十勝ワーケーションガイドBOOK」という資料を作成した。オンライン上で公開されており，ワーケーションの地として北海道十勝地方の11市町村を紹介している。ワーケーションのソフトとして，スノーピーク十勝ポロシリキャンプフィールドでのビジネスキャンプや，「ホテルヌプカ×丸美ヶ丘温泉」での湯リモートワークなどが紹介されている。その紹介されている11市町村の中に浦幌町の紹介がある。浦幌町のワーキングスペースやカフェ，温泉，博物館が紹介されている。

### ワーケーションでの滞在先の候補 ――ハハハホステル――

では，ワーケーションを行う場合，浦幌のどこに滞在すればよいのか。JR浦幌駅前に旅館がある。不動産屋広告では徒歩0分か1分というところで至便である。だが，工事関係者が頻繁に利用する旅館のため，出入りがあわただしく，旧来型の部屋の作りなので，ワーケーションとしては落ち着いて仕事ができないかもしれない。

浦幌の新しい宿泊施設として2021年（令和3年）7月にオープンした「ハハハホステル」がある。JR浦幌駅から徒歩8分の位置にある。よって，不便ではない。「北海道の農村であるこの町と旅人の間を取り持つちょうどいい場所になることを目指」している（当該施設HP)。会社の寮だった施設をリフォームしたもので，若者が泊まりやすく，女性も泊まりやすい宿泊施設に改装したという。今はやりのシェアハウスをイメージさせるような施設である。宿泊者同士がラウンジでいつでも集え，話ができる。町おこし協力隊のメンバーとして浦幌町にやってきた若い人が経営している。若い人たちにも年配の人にも便利だと思われる特徴としては，宿泊費の支払いにクレジットカードも使えること，wifiに不便をしないこと，夜中も裏口から出入りでき，宿泊者の行動を制約しないことなどが挙げられる。キャッシュレス化が進んでいるのに地方では現金払いしかできなかったら不便であるが，クレジットカードを使えることから現金を持ち歩かなくて済む。パソコンを使ってワーケーションを行う人たちにとってスムーズなインターネットのためのwifiは不可欠である。門限が決まっていると，旅行者にとっては夜の時間を有効に過ごせない。門限があると浦幌の星空は見事なのに，それさえも見に行けない。ワーケーションを行いたい人たちには好条件ばかりである。それに加えて，ストーブの燃料が薪であることからその火のぬくもりに心が癒される。季節の過ごしやすい時だけでなく，極寒の時期においてもこの宿で落ち着いて仕事ができるであろう。仕事の効率が上がる。都会の家の中で行うリモートワークとは全く異なる環境で気持ちよく行える。心が滅入る人の数が減るはずである。このように，浦幌町には1年を通してのワーケーションの施設が完備されている。

一口メモ

2021年10月筆者もハハハホステルに宿泊したことがある。駅から歩いてまさに10分ほどの位置にあり，浦幌の町を歩いているとすぐ到着する感覚だった。紅葉の季節だったので，暑くも寒くもなく，宿は冷暖房がついていなかった。指定された部屋にはベッドが一つあり，まったく足りないものもなく快適であった。上述したが，帰りが夜遅くなる時も正面玄関は施錠されているが，裏から暗証番号で入れるとのことで，時間の制約もなく，夕食を外で摂るなど自由に過ごせた。実際に時間制限外に帰るかどうかはともかくとして，時間に追われる生活から逃れて浦幌に来たのであるから，時間を意識したくはなかった。時間の制約から解放された気分であった。

## 8. 日立建機株式会社の開発試験場

日立建機株式会社は鉱物資源を掘削したり，運搬する機器を製造している企業である。年々それらの機械の大型化が進み，かつ効率化が図られている。また，ICTやAIの発展とともに，それらの機械の長距離遠隔操作，自律運転，自律走行の研究開発に力を注いでいる。超大型油圧ショベルや（コマーシャルで見る）超大型ダンプトラックを開発するにあたり，シャベルの機能を発揮できるかだけでなく，相互に行きかうときに衝突しないで交差できるかの実験が必要となる。そのために大規模な試験場が必要である。その広大な開発試験場が浦幌町にある（日立建機株式会社浦幌試験場）。日立建機は472ヘクタールという広大な土地を有している。人里離れているので昼夜の試験が可能である。万一暴走して事故を起こしても周辺地域にはいっさい迷惑をかけないで済む。鉱物採掘は昼間だけでなく夜も行われ，365日24時間稼働させなければならない。したがって，昼夜連続で動かせる機械の開発が必要とある。浦幌ではその昼夜通しての実験が許される。

また，その試験のための気候も浦幌は適しているという。鉱物資源の掘削機械は寒暖が極端な世界の各地で活用されるため，厳しい暑さや寒さに耐えられなければならない。浦幌の冬は非常に寒く，かつ（十勝地方の特徴から）雪が少ない。寒くない夏にも相応の実験ができる。これらの理由から浦幌の地は世界で通用させるための掘削機械の開発試験には最適であると考えられる。

人口が少なく広大な面積の浦幌町は日本のイノベーションを支える民間企業の開発基地の役割も担っている。技術開発の必要性が叫ばれているが，まずは安心安全の上での実験を重ねる場所が必要となる。浦幌はイノベーションの土台を作り上げるのに貢献している町である。

## 9. 太陽光発電

現在カーボンニュートラルが目指されている。石油などの化石エネルギーに代わって注目されているのが自然エネルギー。その中でも太陽光発電は大いに注目され，実際に実働している。浦幌にも大規模太陽光発電施設がある。2015年（平成27年）11月に稼働を始めた「シャープ浦幌太陽光発電所」である。6万1,000平方メートルの敷地面積での操業である。そこでの年間発電量は約290万

kWh（キロワット時）である[注20]。年間805世帯分の電気使用量に相当するという。シャープと芙蓉総合リースが共同出資する太陽光発電事業会社が共同出資するクリスタル・クリア・エナジーという会社がシャープに運営委託する形で経営されている。

参考文献の日経BPのHPによると，この発電所以外に浦幌には「PVNext EBH浦幌第一発電所」がある。アルタイル・ソーラーという会社（親会社はエンバイオ・ホールディングス）が運営している。砂利採取地だった土地を借りて，2017年（平成29年）2月に営業を開始している。当初はエンバイオがネクストエナジー・アンド・リソースと共同出資をしてこの発電所を作ったが，稼働後にエンバイオがネクストエナジー・アンド・リソースの持ち分を購入してエンバイオの全額出資となっている。この発電所の特長は，冬場に発電量があまり落ちないことである。むしろ，夏場よりも冬場のほうが発電量が多くなっているという。浦幌は冬に雪が少なく，晴天の日が多いからである。前掲の日経BPのHPによれば，それに加えて浦幌の空気が澄んでいて太陽光パネルへの入射量が多くなることも大きな理由の一つであるとのことである。冬場に他の地域で太陽光の発電量が減っているのに対して，北海道東部，特に浦幌町ではそれが減らない。それどころか増えている。エンバイオは他地域にも太陽光発電所を所有しているが，浦幌の発電所がそちらの落ち込みをカバーしてくれるので，全国の発電量を平準化できているとしている。

太陽光発電といっても放っておけばよいというわけではない。浦幌の「第一発電所」の場合，砂利採取地跡での立地ということからそれに関連する苦労があるようだ。春や夏においては，砂利採取地

---

（注20）下記参考文献には「年間予測発電量」と記載されている。

跡だと，窪地があってそこに水が溜まってしまったり，雑草が生える。窪地が多く，運転していてひっくり返る危険が伴うため，乗用型草刈機は活用できないことが分かった。草は生え続けてくるわけなので，この点で様々な工夫をし続けなければならない。また，冬において，降らないとはいえ北海道なので雪が全く降らないというわけではない。降雪への対応として，高さを1.5メートルとし，設置角を40度に設定したという。雪が太陽光パネルから滑り落ちるようにしたことに加えて，落ちた雪が1か所に山のように積もらなくしている。冬の雪の対策については成功している。

章末の参考文献の記事に基づいて記しているが，本文を書いていて，日本の中でも浦幌町が太陽光発電にもっとも適している個所の一つであることがうかがえる。カーボンニュートラルが求められている時代(注21)，少しでも自然エネルギーを活用しての発電が増えることが望ましい。十勝の地にある浦幌がそれに適しているならば，より多くの太陽光発電を行い，電力を供給することが望ましい。

## 10. 小括

木質ペレットの製造，地元木材を使ってのパソコンでのデザイン加工，太陽光発電など浦幌町では経済に関して環境保全のための活動が展開されている。広義で考えれば，デジタル森林浴もその範疇に入るかもしれない。

2021年にCOP26で日本は「化石賞」という，情けない賞を2回連続（前回は2019年COP25）で受賞した。化石賞とは「温暖化

---

（注21）2022年ロシアがウクライナ侵攻を行った際，原油価格が高騰した。また，ロシアが，ウクライナの原子力発電所を占領し，全世界震撼させた。化石燃料にも頼れない，原子力発電にも頼れないということが証明された。

など気候変動対策に後ろ向きと認められた国が選ばれる不名誉な賞」だそうである。我々は経済社会の中で経済の成長ばかりに目が行きエネルギーの形態を客観視できなくなっている。この受賞は日本が化石燃料に頼りすぎていることの証明である。国がそのような賞に連続して輝いている（？）間，浦幌町のような一自治体が民間力で化石燃料からの脱却を図っていた。

これは浦幌町が自然資源，天然資源に恵まれていることの裏付けでもある。森林資源，太陽光資源が豊富であるがゆえに，浦幌町は自然エネルギーイノベーションを行いえた。浦幌の地理を考えれると，風力や太平洋の流れを利用することもできる。今後ともより幅の広い自然エネルギーの開発と活用が見込まれるかもしれない。浦幌町は自然エネルギーの宝庫であるともいえよう。浦幌町は環境イノベーションの日本のモデルケースである。

## 11. 結び

いまAIやICTが著しく進化する時代となっている。これが大都市だけのことではない。地方においてもAIやICTを取り入れる工夫がなされている。だが，これらを取り入れるにあたって人材が必要になってくる。浦幌町は，若い人たちを呼び込んだり若い人たちに協力をしてもらって，次々にイノベーションが図られている。かつても雪室貯蔵や木質ペレット生産でイノベーションを取り入れていた浦幌であるが，いまや若い人たちのイノベーション基地と化している。

地方でのイノベーションが遅い原因は地方だけにあるわけではない。日本全体のイノベーションが世界のイノベーションの流れから1歩後れを取っているので，その影響を受けて地方はより一層イノベーションの浸透が遅れてしまっている。その中で浦幌は善戦している。北海道の東に位置し，イノベーションの行われる都会からは離れているが，若者を媒体にイノベーションを取り入れている。デジタル森林浴は，逆に浦幌がその発信基地となって，まず羽田空港に設置され，そして他の地域にも広がっている。地方発のイノベーションの実現である。

浦幌には今後も多くの若者が集まることが予想される。若者一人一人がイノベーションのアイデアを持ち実行力を持っている。彼らが活動しやすい環境を整えた浦幌町はイノベーションで日本一の自治体の一つと評価できる。今後とも若者を中心に浦幌から多くのイノベーションが発信されていくであろう。

**参考文献**


2と3の参考

「TOKOMURO Lab」（2021年9月24日確認）
https://tokomuro-lab.com/

フォレストデジタル株式会社HP
https://forestdigital.org/

Uralaa park（2021年9月24日確認）
https://uralaa.com/park/urahoro

「デジタル森林浴を体験してみませんか？」アルキタジョブキタシゴトガイドしゅふきた　2021年4月13日（2021年9月24日確認）
https://kurashigoto.hokkaido.jp/information/20210413090000.php

TOKOMURO　HP（2021年10月24日確認）
https://tokomuro-lab.com/room/room-list/#nakama

4の参考

一般社団法人日本木質ペレット協会HP
https://w-pellet.org/pellet-2/

株式会社エムケイHP
https://www.mk-tokachi.net/

5の参考
「浦幌の雪室ジャガイモを視察，雪氷エネ協」十勝毎日新聞2014年3月9日（2021年10月2日確認）
https://kachimai.jp/article/index.php?no=237765
「十勝地方のうらほろ雪室じゃがいも・でんぷんが当たる，「やるなら今（いも）じゃが みくじ」を授与します」エキサイトニュース2021年4月30日（2021年10月2日確認）
https://www.excite.co.jp/news/article/Prtimes_2021-04-30-78653-1/
6の参考
「【2021年完全版】北海道のご当地おみくじ「えぞみくじ」はどこにある？入手方法は？実際に行ってみた！」たのしいPTゴリランド
https://gorilla-pt.com/ezomikuji
北海道神社庁HP（2021年10月5日確認）
https://hokkaidojinjacho.jp/%e6%b5%a6%e5%b9%8c%e7%a5%9e%e7%a4%be/
浦幌神社HP（2021年10月5日確認）
https://www.urahorojinja.org/
7の参考
十勝ワーケーションガイドBOOK（2021年10月20日確認）
https://www.hkd.meti.go.jp/hokcf/20210308/book.pdf
ハハハホステルHP（2021年10月20日確認）
https://hahahahostel.com/
8の参考
「イノベーション」日立建機HP（2021年10月23日確認）
https://www.hitachicm.com/global/jp/innovation/
9の参考
「北海道十勝平野東端の遊休地でシャープが2.3MWのメガソーラーを稼働」スマートジャパン（2021年10月30日確認）
https://www.itmedia.co.jp/smartjapan/articles/1512/07/news044.html
「冬に最も発電量を稼ぐ北海道浦幌町のメガソーラー」メガソーラービジネス探訪　日経BP（2021年10月30日確認）
https://project.nikkeibp.co.jp/ms/atcl/feature/15/302960/012800

181/?ST=msb&P=1
10の参考資料
「COP26で「化石賞」を日本がまた受賞。岸田首相の演説で　本人は「存在感示せた」。受賞の理由は？」ハフポスト2021.11.3（2021年11月4日確認）
https://www.huffingtonpost.jp/entry/story_jp_6181d8b5e4b0c8666bd51e67

# 第3編　教育・文化と経済

# 第6章　うらほろスタイル創始期

水野　勝之，水野勝之ゼミナール（西川 純平，
西富 友輝，関 頼子，内田 莉菜，佐藤 奈々子）

## 1．はじめに

とある用事で先日長崎県の高校を訪問した際，そこの校長先生が，「浦幌町はうらほろスタイルで有名だ」とおっしゃっていた。浦幌町で行われているうらほろスタイルは日本全国で名を馳せた政策となっている。本書でも近年のうらほろスタイルについては1章分の紙面を取り，NPO法人うらほろスタイルサポートにまとめていただいた。本章では，うらほろスタイルの初期に，筆者のゼミ生（上記）が現場取材を通して調査した内容を，筆者が大幅にアレンジして整理し記載させていただく。うらほろスタイル初期の中学生たちや大人たちの努力と苦労を垣間見ることができる。

## 2．プロローグ　浦幌町と花，木，鳥[注22]

子どもたちの提案も，まったく天真爛漫に発想するというもので

---

（注22）参考文献の浦幌町HP（https://www.urahoro.jp/profile/），「ハマナス（浜茄子）の花言葉｜花が咲く時期や実の特徴は？」HORTI，「ナナカマド」植木ペディア，「日本の鳥百科アオサギ」サントリーの愛鳥活動HPを参照した。

はなく，浦幌に根付いた発想であった。中学校の総合学習の中で教育として行われたことも理由だが，子どもたちが浦幌に関連させた発想をしたいと願ったことがより大きな理由であった。彼らは，浦幌の花，木，鳥に注目し，それらを土台にアイデアを絞っていった。そこで，初期うらほろスタイルの内容を紹介する前に，浦幌町の花，木，鳥に触れておこう。浦幌町の花はハマナス，町の木はナナカマド，町の鳥はアオサギである。1985年（昭和60年）町民からの公募により決定されたという。その一つ一つについて簡単に説明しておく。

### 1）町の花，木，鳥

町の花であるハマナスは浦幌町内の豊北原生花園で大群生している。海岸砂地に自生している。北海道以外の人も，知床旅情の歌詞の中に出てくるので親しみのある花である。石川啄木の歌や文学にも登場している。ちなみに，彼の句は「潮かおる　北の浜辺の　砂山の　かの浜薔薇（ハマナス）よ　今年も咲けるや」である（啄木小公園の啄木像横の句碑）。といっても，北海道以外に住んでいて実際にハマナスを目にした人は少ない。

ハマナスはバラ科の落葉の低木であり（背丈は1メートルから1.5メートル），とげを持っている。夏，最大の大きさで直径6～10cmともなる5色の紅色の花を咲かせる。その後8月から10月にかけて直径2～3センチの赤い実をつける。実の形は，ラグビーボールのように横長の楕円球形である。ハマナスは北海道の花にも指定されている(注23)。花ことばは，『照り映える容色』『悲しくそして美し

---

(注23) ウィキペディア（後述p.234参照）によれば次の市町村の花にも指定されている。
北海道—石狩市，紋別市，稚内市，浦幌町，江差町，雄武町，奥尻町，興部町，寿都町，斜里町，標津町，天塩町

い』『見栄えの良さ』『香り豊か』『あなたの魅力にひかれます』『旅の楽しさ』等である。また，ハマナスの花には薬効があり漢方薬や生薬として利用されている。ハマナスの実にも食物繊維が多く含まれている。

浦幌町の木であるナナカマドは約15メートルの高さの落葉樹である。「北海道から九州までの深山に分布するバラ科ナナカマド属の落葉樹」（植木ペディア）である。ナナカマドは日本原産の植物である。葉っぱは楕円形で尖っていて，「長さ3～7センチの小さな葉が4～7対集まって，長さ15～20センチの羽根状」（同）となっている。7月に白い花々が咲き群がる。秋に実が赤くなる頃，葉の深紅の紅葉は見事である。その赤く熟したナナカマドの実を野鳥が好んで食べる。筆者も10月に浦幌を何度も訪れたが，紅葉真っ盛りのナナカマドを見るのは楽しみである。市街を突っ切るメインストリートのナナカマドの並木の紅葉は見ごたえがある。ナナカマドの名前の由来は，燃えにくい特性からきている。7回釜で燃やしても燃えないということから付いた名前である。

町の鳥アオサギは湿地に集団で営巣する。名前の通りアオサギはサギ科の鳥である。くちばしと足が白く長い。そして体の上部が濃い灰色で，下部が白いという特徴を持つ。北海道には3月中旬に飛来し，4月から6月にかけて営巣し子育てをする。巣は高い木の上

---

岩手県―山田町，野田村
青森県―青森市，鰺ヶ沢町，大間町，風間浦村，野辺地町
宮城県―本吉町
福島県―相馬市
茨城県―鹿嶋市
新潟県―村上市，聖籠町
石川県―かほく市，内灘町
福井県―高浜町
鳥取県―大山町

に枝を組んで作られる。北海道のように産卵のために飛来する地もあれば，九州のように越冬のために飛来する地もある。首をZ型に曲げ，かつ大きな翼を広げ，足を延ばし優雅に飛行するという。浦幌博物館で展示されており，詳しい解説を聞くことができる。

## 3. うらほろスタイル発足前 —「日本のうらほろ」—

浦幌に「うらほろスタイル教育プロジェクト」が登場したのは2007年度（平成19年度）の水澤一廣町長時代である。現在「うらほろスタイル」と呼ばれている事業の発足当初の呼び名である。「うらほろスタイル教育プロジェクト」とは，子どもたちが夢と希望を抱けるまちを目指して，子どもだけでなく大人も参加し，地域が一体となって地域活性化に取り組む活動のことである。

2007年の「うらほろスタイル教育プロジェクト」に取り組む前から，NPOの「日本のうらほろ」（代表近江正隆氏）は，浦幌の魅力と価値を町民に気づいてもらい，お互いで共有する活動を行っていた。例えば，「日本のうらほろ」は，浦幌町の特産物を使った「料理コンテスト」を行ったり，浦幌町の魅力を全国に発信する「うらほろ魅力探検隊」Webサイトを運営したりと，浦幌に関連する多くの活動を献身的に行っていた。さらに「日本のうらほろ」代表の近江氏は，株式会社ノースプロダクションの代表取締役の仕事もこなしていた。近江氏自身が浦幌町での生活から得た農山漁村の大切さを都会のひとに伝えることを目的に，この会社では，彼が自分の足で数多くの東京での地域関連イベントに参加していた。彼の東京での活動は，地域生産者の販路開拓支援や，生産者が参加する交流食事会開催等多岐に渡っていた。地域で頑張っている農家さん・漁師さん・農協・漁業のサポートを行っていた。日本のうらほろとノースプロダクションの両輪の活動が，「うらほろスタイル教育プロジェクト」の発足に大きく関わっていた。

当初のこのプロジェクトは，主に3つの柱から構成されていた。当時の「うらほろスタイル」のインタビューメモおよび「うらほろスタイルHP」https://www.urahoro-style.jpを参考に記述する。(現在はあと2本の柱が追加されている。)

第1の柱は，「うらほろスタイル教育プロジェクト」である。これは，小学校生活から中学校生活までの学校の総合学習の時間を活用し，子どもたち自身の地域愛，地元愛を育成するというものである。保護者や各種団体と協力しながら，子どもたちに浦幌町に対する自信と誇りをもってもらい，彼らが地域貢献したくなる気持ちを育む。現在「地域への愛着を育む事業」となっている。

第2の柱は，「子どもの想い実現プロジェクト」である。学校の授業に導入された総合学習の中で子どもたちが地域活性化案を企画する。そしてその企画案を大人たちが実現させるというものである。子どもたちの目は，大人たちが普段見落としがちな地域資源や地域の課題を見抜く力がある。子どもたちの提案を実現させることは，地域発展につながる可能性が大きい。よって，大人たちが彼らの提案を実現させる。現在「子どもの想い実現事業」となっている。

第3は，「うらほろ子ども農山漁村交流プロジェクト」である。これは，浦幌が様々な産物の生産地として自信と誇りを持つように，浦幌の子どもたちを地域の農林漁家に宿泊させ，一次産業を体験させるというものである。現在「農村つながり体験事業」となっている。

この3つのプロジェクトは，当時町を象徴する事業の1つであった。そのプロジェクトを中心となって手がけた近江氏との連携は，著者のゼミの大学生たちの活動の幅を広げ，大学生たちと浦幌町全体が協力し合って活動にあたるきっかけとなった。

## 4. プロジェクト運営

学生たちが注目したのは，「うらほろスタイル教育プロジェクト」のプロジェクトチームについてである。このプロジェクトチームは，浦幌小中学校と保護者・教育委員会・日本のうらほろ会員で構成されている。こうした地域の人たちの協力がこのプロジェクトの実現に不可欠であった。例えば，うらほろスタイルプロジェクトの2つ目の「子どもの想い実現プロジェクト」では，子どもたちの案を商品化するのは大人の役割であり，その実現が大人たちに任されている。地元商店街の協力や農家，漁業組合の方々，役所関係の方々の協力なしにはこのプロジェクトは成立しえなかった。子どもたちの町に対する思いのバトンを受け，大人たちが動くというプロジェクトであった。

ここで大きく注目すべき点は，地元メディアの存在である。日本のうらほろの理事長である近江氏は，役場広報誌において浦幌町の農林漁業の魅力を再発見する記事を連載し，第1次産業の素晴らしさを伝えていた。東京で近江氏と学生たちが対談した際，多忙で連載が困難になってしまった広報誌の1ページ分の執筆を学生たちが任せていただくこととなった。町外の学生たちが独自の目線で，浦幌町の素晴らしさや東京で行っている彼らの活動を町の方々に知っていただくとてもいい機会となった。近江氏の若者を育てる力には感服させられた。

## 5. 初期うらほろスタイル

中学生のアイデアを大人たちが実現させる。このコンセプトがうらほろスタイルの創始期の軸であった。他方，中学生たちも，町の花，木，鳥をシンボルにしながらアイデアを練った。両者のコンセプトの一致がその後のうらほろスタイルを発展させたといえる。ここでは，筆者のゼミの学生たちが調査協力した，初期のうらほろスタイルをいくつか紹介していこう。

### 1）はまなシュー（2009年度水野ゼミ学生報告書を大幅改変）

うらほろスタイルでの提案を2009年度（平成21年度）の筆者のゼミの学生たちが調査した時，彼らが大変興味を持った提案があった。それは2007年度（平成19年度）の浦幌中学校3年生のグループが提案した「ハマナシュー」であった。中学の授業において中学生が，町の活性化のために“町の特産品を作ったらよいのではないか”と考えたことから始まった。彼らの話し合いの結果，“町の花であるハマナスの実を使えば町のアピールにつながるのではないか”ということになった。そして彼らが最終的に編み出した案が「ハマナシュー」であった。浦幌町の花であるハマナスのジャムがクリームに練りこまれたシュークリームである。当時の担当教諭によると，北海道に本工場を構える菓子メーカー“六花亭”の様々な味のシュークリームから連想したのではないか，とのことであった。ただ案を出すだけでは実現させてもらうことは難しい。そこで彼らは中学校の家庭科室を使い，自分たちで試作品を作ったという。コスト等の問題もあったため，どこかの企業や店に試作してもらうことは困難だったからである。試作にあたって作り方の助言を求めたり，商品化する際にこの商品が“ケーキ屋で作れるか”ということを検証するため，町のお菓子屋さんに電話で尋ねたり，実際に訪問して質問をしたという。

こうした作業を経て，中学生は2007年度のうらほろスタイルの発表会に臨んだという。発表会では非常に評価も高く，注目を浴びたため，実現に向けての検討がなされた。実験的に浦幌町のお店が作って販売することとなった。実際に販売された「ハマナシュー」はおいしくて好評だったという。しかし，当時の浦幌にはハマナスを人工的に栽培している農家や組織はほとんどなく，商品化し続けるためのハマナスの安定供給が確保できないという欠点があった。また，これから人工的にハマナスを栽培するにしても，コストの問題や誰が管理するのかという問題が壁となった。実験的に制作販売が試行されたが，こうして実現に向けての展開は行き詰ってしまった。

その年の発表会を受けて，町は「みのり祭り」に関する提案を実現することとした。そのため，「ハマナシュー」案を優先的には進めることが出来なかったという。非常に目を引く「ハマナシュー」の画期的な提案は試行止まりになってしまった。その調査を行った大学生たちも非常に残念がっていたのを覚えている。ハマナスが栽培されている現在ならば，健康にもよいお菓子ということで「ハマナシュー」の販売が可能になったかもしれない。

### 2）ふわふわドーム（2009年度水野ゼミ学生報告書を大幅改変）

2009年度（平成21年度）時点において，実現していて且つ，当時も実際に使われていた提案の1つがあった。浦幌町で年1回開催されている大規模イベント「みのり祭り」における子どもの居場所に関する提案（2007年度）であった。何万人も訪れるお祭りであったが，プロ歌手の歌謡などを聴きながら楽しむ大人たちに対して，子どもたちは居場所がなかった。そこで，中学生たちは，自分たちの経験を元に子どもの遊び場となるような遊具を設置する提案を行った。その提案は，エアートランポリンであるふわふわドームであった。それ以前ふわふわドームは町外から借りてきたものであったが，中学生たちの提案は，みのり祭りの最中の子どもたちの楽しめる居場所として町が独自に持つことを訴えていた。

みのり祭りに関する企画の実行には，祭りを運営する浦幌町観光協会の許可が必要である。子どもの居場所づくりのこの企画に観光協会の許可が下り，中学生の提案を機に町でエアートランポリンを購入することとなった。資金面が問題となったが，バッテリーカーを買うための積み立て資金および観光協会からの補助を活用した。また，観光協会だけでなく，浦幌町商工会からも寄付金が寄せられた。観光協会と商工会の協力により資金問題がクリアされ，ふわふわドームの購入に至った。

こうして購入されたふわふわドーム（エアートランポリン）は名前が公募されることになった。その結果，「ウラッピー」と命名された。「ウラッピー」の購入によって，みのり祭りの際の子どもの居場所が作られただけでなく，今まで借りていたふわふわドーム（エアートランポリン）を今度は他の市町村に貸し出すこととなり，収入を得られる立場に変わった。中学生の提案は町や町民に一石二鳥の効果をもたらした。

### 3）「うらは」と「ほろま」（2009年度水野ゼミ学生報告書を大幅改変）

町のイメージキャラクター「うらは」と「ほろま」も中学生の提案であった（2008年度（平成20年度））。中学生たちは，町のキャラクターを，当時流行していた“ゆるキャラ”のようにかわいいものとし，それをシール化する提案を行った。この「うらは」と「ほろま」とは，前述の町の鳥であるアオサギをモチーフにした2匹のキャラクターである。名前の由来はというと，「うらほろ」の“うら”と「ハマナス」の“は”をとって「うらは」，「うらほろ」の“ほろ”と「ナナカマド」の“ま”をとって「ほろま」ということであった。「うらは」がメスで，町の花であるハマナスを頭に飾っている。性格はおとなしくて優しいそうだ。「ほろま」がオスで，町の木であるナナカマドの実をくわえている。性格は元気でやんちゃだそうだ。

中学生の提案に従ってこの両者はキャラクター化され，実際に浦幌町内で活躍した。道の駅の看板や記念スタンプにこのキャラクターが採用された。また，中学生の提案通り，町観光協会の手によりこのキャラクターを載せたシールが個数限定で作成された。そして，1シート50円で「第33回浦幌女性あいフェスティ」（2009年（平成21年）3月1日）の際に販売され，好評であった。

その後「うらは」と「ほろま」のキャラクターグッズについて有限会社栄光商事が商品化を決定した。町内の洋品店とタイアップして，Tシャツやストラップ（当時の携帯電話につける飾り）などの商品を創り出し，実際に販売した。それらのグッズは書籍，文具，雑貨を扱うお店（有限会社東栄堂）で販売された。2010年（平成22年）2月からは「うらは」と「ほろま」のキャラクターグッズが道の駅でも販売開始となった。

「うらは」と「ほろま」は(社)北海道観光振興機構のご当地キャラクターにも登録された。また，北海道観光土産品協会主催の新作おみやげコンクールで「努力賞」を見事に受賞したという。なお，著作権管理は町観光協会が行っている。

#### 4）浦弁（2010年（平成22年度）度水野ゼミ学生報告書を大幅改変）

浦幌中学3年生の中で2009年度に実現した企画案に「浦弁」がある。「浦弁」とは浦幌弁当の略である。これについて，当時筆者のゼミの学生たちが取材を行った。取材先は，浦弁の案を実現化し実際に製造を行っていた，有限会社レストラン大和の代表取締役の稲垣和幸さんであった。

中学生たちが考案し，稲垣和幸さんの手によって作られた浦弁は，2009年当時道の駅うらほろで土日祝日限定10食で販売された。米以外すべて浦幌産物を使用していた。ふたを開けた瞬間，秋鮭をメインに，いくら，つぶ貝，錦糸卵など，色とりどりの浦幌産物が目に入ってきた。提案した中学生たちは，浦弁の中身だけではなく，パッケージも自分たちで作成するというこだわりだった。彼らの提案に，稲垣さんが改良を加えることによって，浦弁が完成された。道の駅で販売する価格について中学生たちは730円を提案した。だが，実際には830円の値段で売られていた。なぜ100円の差ができたのか。これは製作者の稲垣さんが弁当の色彩にこだわった結果生まれた金額だという。浦弁の色彩を良くするため，中学生の提案したお弁当にいくらと錦糸卵を新たに乗せ，彩り豊かにしたそうである。そのため中学生たちの提案よりも100円高い830円での販売となった。結果，秋サケ，いくら，つぶ貝，錦糸卵などが白米の上でにぎわった楽しい弁当となった。稲垣氏のアレンジで素晴らしい浦弁が完成し，販売された。中学生の提案が見事に実現した一例であった。

## 6. 小括

その後もこのプロジェクトを通し，中学生ならではの視点に基づいた魅力的な特産物を数々作り出している。いずれも大人の視点では見落としがちな発想だったという。うらほろスタイルのこの初期の事例でも見られるように，特産物を作り上げる過程において，中学生，商業団体，ボランティアという，日ごろ接することがなかった町民の間に同じ目的を達するための一体感が生まれた。子どもだけでなく大人もその企画実現にあたって新たな発見を見出し，関わった関係者同士の相乗的効果を生みだしている。このように中学生の企画を大人が実現するというプロジェクトは，当時全国でも数少ない試みであり，新たに中学校の教育課程に導入された「総合学習」のモデルといえた。

## 7. 明治大学生の協力（2009年度水野ゼミ学生報告書を大幅改変）

浦幌町が実施する「うらほろスタイル教育プロジェクト」には筆者のゼミの学生たちも深くかかわらせていただいた。2009年（平成21年）9月のゼミ生たちの浦幌訪問の際，浦幌中学校側に明治大学との連携を図れないか提案した。その学生たちの提案に中学校の先生たちは快諾くださり，明治大学との連携を積極的に受け入れてもらうことができた。学生たちの具体的使命として，浦幌中学校側から「東京近郊でのアンケート調査」と「中学生の提案作りへの助言」の2つの依頼を受けた。

第1の「東京近郊でのアンケート協力」は，中学生の企画の具体化の際に参考にしたいというものであった。中学生たちのアイデアが本当にニーズに合ったものなのかを調査するためである。それ以前アンケートは浦幌町内のみで行っていたからである。いわば身内だけの意見を取り入れる形に等しかった。地元の中学生がやっていることが町民に周知されていたため，温情が入り客観性が保たれるか疑問の残るアンケート調査結果となっていた。そこで，こうした活動を行っている中学生の事情を全く知らない，東京近郊の人たちからの客観的な意見がほしいとのことで，中学校側から学生たちは東京近郊でのアンケート実施を依頼された。

依頼を受けたアンケートの仕組みは次のようであった。アンケート対象者は1口100万円の仮想投資機会を各々4口所持しているとする。その4口を，自分が興味を持ったり，実現してほしいと思った企業の事業に，好きなように投資することができるとする。4口を1つの企業に投資してもよいし，1口ずつ4つの企業に分散して投資をしてもよい。どこにも投資しないという選択もできる。

2009年（平成21年）11月7日（土），学生たちはそのアンケート調査を千葉県浦安市の交通公園で行うこととした。交通公園には多くの家族連れが訪れる。彼らに応えてもらおうという試みであった。その年の浦幌中学校の総合学習では，中学生の疑似企業の多くは提案する商品にかぼちゃを使っていた。中学校側の話によると，浦幌町のかぼちゃは，東京の人がイメージするかぼちゃとはおそらく味が違うとのことであった。そこで，浦幌中学校から東京の学生の元にかぼちゃを送ってもらい，味をイメージしやすいよう，試食品を提供しながらアンケートに答えてもらうこととした。アンケート調査の際，きちんとした調査ブースを設けていたわけではなく，公園に来ていた家族連れのところへ学生たちが直接出向き，アンケートに答えてもらうというものであった。地道な作業であったが，大学生の礼儀の正しさも相まって多くの方に協力いただけた。おかげで関東の人たちの意見を調査することができた。このアンケート結果は，2009年11月13日に北海道を訪問した際に浦幌中学校に直接手渡すことができた。

もう1つの依頼は「中学生の提案作りへの助言」であった。同年10月23日に大学生が浦幌を訪問した際，浦幌中学校の総合学習の授業に参加した。グループで話し合いをしている中学生に対して大学生らが助言を行った。この時点ではまだグループ分けをして間もない時期であったため，深く踏み込んだ内容まではアドバイスはできなかったが，逆に大学生たち自身が大変勉強になったという。というのも，中学生のグループで話し合う課題とされていたことが，自分たちが想定していたことよりもレベルが高かったためである。中学生は，学校から配布された「事業計画書」の項目に沿って話し合いを行っていた。事業計画書の項目の一例を挙げると，“商品名”，“原価”，“価格”等の基本的知識だけでなく，“商品化対象の市場規模と成長性”，“市場ニーズと予定購入者層”，“商品戦略”というマーケティングの専門的知識を考慮する内容となっていた。この内容を見て，中学生の行うことにしてはかなり本格的だという印象を大学生たちは受けた。グループに分かれる前の事前学習におけるマーケティングの授業のノートを大学生たちは中学生から見せてもらったが，商学部の学生のうち何人がまともに理解しているだろうかというくらい，高度な知識も盛り込まれていたそうだ。中学生に感心すると共に，自分たち大学生も一層精進しなければならないという自覚を持つことになった。

## 8. 中学生の発表会

2009年（平成21年）12月2日，中学生の発表会が浦幌中学校で行われた。始めに教室でプレゼンテーションを行い，その後別教室に移動して，試食，試作品展示，個別での商品説明を行うという形式をとっていた。

最初の中学生の各企業のプレゼンテーションでは，パワーポイントを利用して自分達の考えた企画や商品のコンセプトや詳細を述べるとともに，その企画や商品によっていかにして浦幌町の活性化が図られるか，その具体的な根拠は何かなどを述べ，実現化のためのアピールを行った。中学生の各企業の発表の後には質疑応答の時間も設けられ，参加していたアドバイザーや他グループの生徒から質問や指摘がなされた。特に，アドバイザーからの質問や指摘の中には，子ども相手とは思えないほど鋭いものがあり，この中学生の提案実現に対して，大人たちも本気で取り組もうという姿勢がうかがえた。

試食会・試作品展示は，中学生の各企業のブースごとに行われ，生徒たちはブースに訪れた人々に熱心に商品や企画を説明したり，来場者からの質問に答えていた。試食に関しても，ただ味を楽しむだけでなく，味やその他の工夫に対して，厳しい指摘や新たなアドバイスをしている人々もおり，生徒たちは改善のため，真摯にその意見を受け止めていた。

プレゼンテーションにしても，試食・試作品展示にしても，10月に大学生たちが助言した段階から格段の進展がみられていた。

## 9. 総括

現在日本全国で有名になっている「うらほろスタイル」の初期の段階で筆者とゼミの学生たちが関われたことは幸せだと感じている。水澤一廣町長の下，うらほろスタイルの発足した2007年（平成19年）当時，中学生の提案を大人が実現させる政策もおそらく日本で初めてであり，また正規の授業（ゼミ）として大学生が今のように地域に関わる活動をするというのも他にはほとんどなかった。その初めて同士が重なったのがうらほろスタイルの創始期であった。

「たかが中学生，されど中学生」「たかが大学生，されど大学生」。一般に大人は中学生や若者が未熟だと見がちである。だが，筆者はこのような例をよく挙げる。ある無人島に経験，知識，知恵のある50代，60代の大人たちが20人，他の無人島に大学生が20人，遭難後上陸したとしよう。5年後，10年後に発展している島はどちらか。皆さんもお分かりのように，若者たちが上陸した島に他ならない。中高年の人たちと大学生，中高年の人たちと中学生を比べた場合，大学生や中学生は中高年の人たちに劣るものではない。現実の社会において大人たちはこの真理を認めようとしないし，認めたがらない。だが，それを打ち破ったのがうらほろスタイルである。子どもたちの発想は大人の世界で十分通じる，いやそれどころか地域社会を発展させるという考え方に立った。それを勇気を出して行ったのがうらほろスタイルであった。

うらほろスタイルのもう一つの見事さは，その継続性である。地域活性化政策を実施しても，予算が切れて一時的で終わってしまうことが多い。だが，うらほろスタイルは2007年（平成19年）に始まり，今でも継続している。それどころかますます進化し，拡大している。別章にあるようにいまや外部の若者たちが参加し，全国に名が知れわたっている。そのように継続的に発展した理由を考えてみよう。

第1の理由は，水澤一廣町長，近江氏といったセンスのある強力なリーダーがリーダーシップを発揮したことである（決してお世辞ではない。）。近江氏のアイデアを水澤町長が受け，教育界，役所，町民の皆が協力し合えたことである。この体制を作り，それを発展させてきたことが今日のうらほろスタイルに現れている。

第2の理由は，中学生の提案というのは実は効果的だったということであろう。前述のように子どもだから，まだ中学生だからと見られがちの彼らであるが，「地元の産物，名所などを使う」という条件を与えられたうえで企画作成に導かれると大人顔負けのアイデアを出せるということである。そのことに最初に気づいたのが浦幌町に他ならない。中学生の考えを尊重した結果が，浦幌町全体を発展させてきた。

第3の理由は最初の大学生たちだけでなく，その後も外部者をどんどん受け入れたことであろう。多くの若者たちが現在活躍している。最初に外部の人たちに垣根を低くしたことから，地域の人たちも外部者に慣れ，壁を作るということをしてこなかった。外部者が活動しやすい環境がうらほろスタイルの成功につながっている。

第4の理由は，浦幌の資源が豊富であったことであろう。自然資源，文化資源，歴史資源，産業資源が豊富で，考える材料がたくさんあった。特に企業秘密として門を閉ざすところもない。豊富な自然に囲まれて子どもたちの発想の幅が広がる。当初から浦幌町は子どもたちに町内の魅力を発見してもらうために「町内の魅力発見バスツアー」を実施してきた。情報をわざわざ子どもたちに伝えなくても情報の方から子どもたちの目，鼻，口に飛び込んできたわけである。浦幌の資源の豊かさは豊かな教育を生む。

第5の理由は，メディアの露出の度合いが大きく，それが子どもたちや大人たちの励みにもつながった。都会ではメディア数も多い代わりに人口も多く，子どもたちが活動したからといってもよほどのことがない限り取材を受けることはない。浦幌では十勝毎日新聞の記者の方がうらほろスタイルに密着して取材をしていた。あらゆるプロセスが活字となり，活動する人々の一層のやる気を引き出した。

このような理由から，うらほろスタイルの初期の活動が成功した。これらの理由は一層バージョンアップして強力化し，現在のうらほろスタイルを支えている。成功が成功を呼んだ。もちろん途中で失敗もあったかもしれないが，失敗は成功の基である。つまり，成功も失敗も次の成功を呼び起こす好循環が浦幌町には存在していたのである。

**参考文献**

2の参考
浦幌町HP（2022年1月1日確認）
https://www.urahoro.jp/profile/
「ハマナス（浜茄子）の花言葉｜花が咲く時期や実の特徴は？」HORTI（2022年1月3日確認）
https://horti.jp/17253
「ナナカマド」植木ペディア（2022年1月1日確認）
https://www.uekipedia.jp/%E8%90%BD%E8%91%89%E5%BA%83%E8%91%89%E6%A8%B9-%E3%83%8A%E8%A1%8C/%E3%83%8A%E3%83%8A%E3%82%AB%E3%83%9E%E3%83%89/
「日本の鳥百科アオサギ」サントリーの愛鳥活動HP（2022年1月1日確認）
https://www.suntory.co.jp/eco/birds/encyclopedia/detail/4499.html

# 第7章　うらほろスタイル

NPO法人うらほろスタイルサポート

## 1. はじめに

2007年にうらほろスタイルの活動が始まってから今年で丸15年が経過した。当時一部の学校教員とPTAを中心とした町民有志からはじまった取り組みが，行政を動かし多くの方々の尽力を得ながら今では町の最も重要な施策のひとつとなっている。

当法人は，うらほろスタイルの活動が始まって11年が経過した2018年に，活動を下支えするための民間組織として設立し，現在も活動を続けているため，このたび本章の執筆に関わらせていただく運びとなった。しかし，本章でご紹介する活動による成果などは，決して当法人によるものではない。活動が始まってから現在に至るまで町内小中学校で子どもたちを育んでいただいた歴代の教員や多くの町民，企業・団体，特に活動が始まった当初に尽力されていた組織の中には既に解散されているものもある。また地域おこし協力隊，町役場，教育委員会といった行政。そういった数えきれない多くの大人たち，そして何より浦幌町の子どもたち自身の継続した取り組みにより現在の活動があることを，申し添え，うらほろスタイルの活動についての紹介をはじめていきたい。(2022年8月31日)

## 2. うらほろスタイルとは

### 1）うらほろスタイルが目指すもの

うらほろスタイルという活動を通して私たちが目指しているのは，浦幌という地域を次世代（子どもたち）に引き渡し続けていくということだ。人口減少対策や，経済の活性化もとても大切であるが，それらはあくまで大切な手段の一つである。住む人たち，とりわけ次代を担う子どもたちが，自分自身や浦幌の未来に夢と希望を抱き，誇りをもって幸せに暮らすことができる地域を次世代につなぎ続ける（持続）ことこそが目的であると考えている。

これを実現させるために我々が大切にしていることが大きく2つある。

1つが，「今の担い手である大人が責任を持って，子どもたちが夢と希望を抱き，『引き受けたい』と思える地域をつくること」という，未来を軸とした地域づくり・まちづくりの視点である。

もう1つが，「未来の担い手である子どもたちに，社会を生き抜く力，社会を創っていく力を身につけてもらうこと。大人はそのサポートをすること。」という教育・ひとづくりの視点である。

これらを大切に各活動に取り組んでいる。

### 2）取り組みの概要

学校発で始まったこの取り組みは，現在5つの事業を柱として行われている。それぞれの事業を「小中学校」「町民有志」「町内出身・在住の中高生」が主体となって活動している。多くの主体があり，教育の側面も強いが，役場の企画セクションである，まちづくり政策課によって予算化され，当NPO法人が運営の委託を受けている。

小中学校が主体となって行う９年間のうらほろスタイル教育（ふるさと学習・キャリア教育）は，主に総合的な学習の時間などを通して，すべて教育課程内で行われる。各学校の教員によってカリキュラムが組まれる「地域への愛着を育む事業」と，学校間を超え，町内の全小学５年生（複式の学校は５・６年生）を対象とした農林漁業者宅での民泊体験学習を実施する「農村つながり体験事業」の２つの事業から成る。

うらほろスタイル教育のプログラムの中では，小学校中学校それぞれまとめのタイミングで，ふるさと浦幌町への要望，アイディア，行動などをアウトプットする機会が設けられている。「自分たちの好きな町をもっと元気にしたい！」「こういうことができたらもっと良い町になる！」という子どもたちのふるさとに対する想いは，ここでの発表だけで終わらず，今度は大人たちの手に託されることになる。

子どもたちが一生懸命に考えた，町への思いが詰まった要望やアイディアを，大人たちの手で実現していくための取り組みが「子どもの想い実現事業」である。行政や民間組織の手によってそのまま実現される企画もある。また，それに至らなかったものもお蔵入りにせず，実現までの道のりを有志の大人が集まって知恵を絞る「子どもの想い実現ワークショップ」の推進が，この事業のメインとなっている。

活動を進めて行く中で，聞こえてきた「浦幌が好きで住み続けたいが仕事がないから外に出ざるを得ない」という子ども・若者の声に応えるために立ち上がったのが「若者のしごと創造事業」である。子どもたちが憧れ，就きたくなるまたは，次に続きたくなる新事業のプランを地元の大人たちが生み出し，町外出身の地域おこし協力隊の若者がモデルとなり実際に起業していくということを行ってきた。

浦幌町には高校がないため，浦幌の子どもたちは中学卒業後町外の別々の高校に進学する。それでも地元の仲間たちと一緒に，ふるさと浦幌を拠点に様々なワクワクするチャレンジをしたいという想いで高校生たち自身が「浦幌部」という自主団体を結成した。その想いや活動内容に共感し，憧れを抱き現在は中学生のメンバーも加わっている。彼ら彼女らのチャレンジに伴走支援を行うのが「中高生つながり発展事業」である。

それぞれ様々な紆余曲折があり，現在の形がある。次からはより具体的な内容やこれまでの経緯について紹介する。

**写真7-1　うらほろスタイルの概要**

## 3. 各取り組みの歴史と内容

### 1）うらほろスタイルのはじまりと地域への愛着を育む事業

#### ① 北海道立浦幌高等学校の募集停止

うらほろスタイルの取り組みが始まる大きなきっかけは，2007年5月，町内からの進学率の低下を大きな要因として，当時町内唯一の高校だった北海道立浦幌高等学校（以下，「浦幌高校」）の募集停止が決まったのである。この決定に，町内では，PTAなどを中心に「町に高校がなくなったら町外に進学した子どもたちは帰ってきてくれないのではないか」という懸念が抱かれていた。

だからといって，未来ある子ども達の人生に，「この町に生まれたのだから帰ってきて欲しい」「出て行かないで」「この町にずっと住んで欲しい」という大人の気持ちを無理矢理押し付けることはしてはいけない。

#### ② 子どもたちに自信と誇りを

この問題に対し，当時行き着いた答えが「子ども達に浦幌の魅力に気付いてもらえる機会を提供しよう」というものであった。子ども達に押し付けるのではなく，この町の魅力をしっかりと伝えていくことで，結果として子ども達の中に「帰ってきたい」「将来も住み続けたい」と思ってくれる子どもも出てくるのではないか。また，帰ってこなかったとしても「私のふるさとはこんなに素敵な町なんです！」「私は幼少期にこのような育みを受けました！」と，浦幌やそこで生まれ育った自分自身に誇りを持って，それぞれの道で活躍してくれる人になってくれるのではないかと考えたのだ。

しかし，その「子ども達に伝える」機会を日常的に持つことは簡単ではなく，仮にその機会を作ることができても，しっかりと子ども達の心に残るように町の魅力を伝えなければ，一歩間違えると「押し付け」になってしまうという新たな問題もあった。

この一方で，小中学校の教員たちの中にも，浦幌高校の募集停止の影響を心配する声が上がっていた。

「ふるさとに対する自信と誇りを持って，胸を張って進学して欲しい」「このままでは地元に自信が持てず，卑屈になってしまわないだろうか」 しかし，ふるさとへの自信や誇りを育むと言っても，教員はその職業の性格上，避けられない「転勤」というものがあるため，1つの地域に留まることができるのは数年間。だから当然浦幌のことも，子ども達に伝えられるほど詳しくなかった。

このように「地域」と「学校」でそれぞれ同じ想いを持ちながらも別々の課題があった。そして，それぞれの課題はお互いに補い合えるものだった。地元の大人達は地域のことをよく知っている。魅力もたくさん知っている。教員は子ども達に伝える場も持っている。何より，「押し付け」ではなく子ども達の心にしっかりと「伝わる」ような伝え方ができるプロである。

想いが合流し，互いの強みを活かし弱みを補い合える形として，地域みんなで，学校の授業（教育課程内）で行われている「ふるさと学習」や「キャリア教育」をサポートして行くことになった。浦幌らしい，浦幌ならではの教育を地域総ぐるみで行っていこうと始まったこの取り組みは「うらほろスタイル教育」と名付けられた。

「うらほろスタイル教育」の初年度（2007年度）は，浦幌中学校3年生の総合的な学習の時間から始まった。博物館の館長などが添乗して，「浦幌魅力発見バスツアー」を行ったり，町内で活躍する様々な大人を招いて，浦幌の産業について知る「産業講演会」などが行われた。それらを踏まえて，年度末には「浦幌まちおこし企画発表会」（現，「うらほろ活性化プロジェクト成果発表会」）が行われた。

一連の活動を終えた子ども達からは「浦幌の良さを知れて本当に良かった」「この先どこへ行っても浦幌という町に誇りを持ち続けて生きたいです。」（感想文より）など，町に対する愛着・自信・誇りが育まれたことを感じる言葉が多数挙げられた。

翌年度（2008年度）からは，学校・町民有志に加え，町と教育委員会も加わった「うらほろスタイル推進地域協議会」が設立され，町内すべての小中学校でうらほろスタイル教育が実施できる体制が整えられた。新たな授業の導入だけでなく，それ以前から行われていた地域性のあるふるさと学習やキャリア教育も，うらほろスタイル教育に含める形で，行政としても事業の位置づけを整備した。

小中学校でのうらほろスタイル教育を行うプロジェクトは「地域への愛着を育む事業」と名付けられ，今でもうらほろスタイルの根幹となる取り組みとして行われている。

つまり，うらほろスタイルは子ども達の将来や地域の未来を考えて，学校の教員や地域の大人たちが立場を越えて始めた取り組みということだ。

スタートとなった浦幌中学校３年生の活動は現在，アイディアを大人に託すだけではなく，中学生たち自ら地域の誰かを笑顔にするためのプロジェクトを立ち上げ，実行するという取り組み「うらほろ活性化プロジェクト」へと進んでいる。このカリキュラムも，担任の教諭発案のものだが，地域の大人による全力のサポートがあり推進することができている。具体的に取り組む内容は都度更新されているが，「子どもたちのため」にそれぞれの立場で力を発揮するという当初の想いは変わらずにある。

写真7-2　うらほろ活性化プロジェクト成果発表会

## 2）子どもの想い実現事業

うらほろスタイル教育の導入とともにはじまった，浦幌中学校3年生の「浦幌まちおこし企画発表会」（現，「うらほろ活性化プロジェクト成果発表会」）。そこで発表された町への提案を聞いた大人たちの中から，「子ども達が一生懸命考えてくれたものを，『提案』で終わりにするのではなく，なんとか形にしたい！」という動きが始まった。「子どもの想い実現事業」と名付けられたこの取組では，町民や町内企業・団体が子ども達の提案や要望を大人の手で実現させることを目指してきた。

子ども達の提案から実現したものの一部を以下に紹介する。

### ① うらはとほろま

町のマスコットキャラクターの「うらはとほろま」は子ども達の提案から実現した象徴的なものだ。

町の鳥アオサギをモデルに，町の花ハマナスと町の木ナナカマド

写真7-3　うらはとほろま

をあしらっている。今では着ぐるみのほか，町内のあちこちに「うらはとほろま」の姿が見られる

② ウラッピー

「みのり祭り（町内で最も規模の大きい秋の収穫祭）はもっと子どもが楽しめるものがあったらいい！」という提案を受けて，観光協会と商工会青年部が共同でフワフワドームの「ウラッピー」を導入。

今ではみのり祭りだけでなく，こどもまつりなど，町内の多くのイベントで活用されている。

③ 浦弁

子ども達が考えた浦弁は，サケ，昆布，いくら，ツブなどの海産物をはじめとした，浦幌産食材がふんだんに使われた海鮮系の弁当で，町内の飲食店が商品化し，道の駅で販売された。

この他にも，たくさんのものが町の大人達の手によって実現されてきた。

しかし，子ども達の提案の中には，原案のままだとどうしても実現することが難しいものも少なくなかった。そういった案に対し，「そのままだと難しいものも何らかの形で実現してあげたい！」という想いを持った町民有志が結成したのが「子どもの想い実現ワークショップ」（以下「WS」）だ。

原案そのままだと難しいものを，大人の手を少しだけ加えてより実現しやすい形にしたり，複数の案の要素を組み合わせて新しい案を作ったりして，行政や民間に再提案しやすくするために知恵を絞っている。

また，浦幌中学校3年生からの提案だけではなく，町内の全小学6年生が毎年町に対して要望を考える「太陽への手紙」事業で出された要望についても，可能な限り実現していこうと，WSで題材として扱うようになった。

2011年に結成されたWSは，毎月1回メンバーの仕事が終わった夜の時間に集まり，子ども達の夢を実現させるために知恵を絞っている。職業も役職も肩書も様々。当て職による参加者は一切ない。多くの大人達が子ども達のために立場を越えて，完全有志で集まってる。

これまでWSを経て実現されてきたものもたくさんある。一部を紹介する。

**① まちなか農園**

町花ハマナスの商品化を望む子ども達の声を統合したのが「まちなか農園」だ。賛同を得た農業者から浦幌中学校に隣接する畑を借り，1,400株のハマナスが栽培されている。現在では，このハマナスを主原料とする化粧品が商品化に至っているが，詳しくは後述する。

② 浦幌新聞

「広報誌URAHORO」に毎月掲載されている「浦幌新聞」もWSを経て実現されたものだ。

現在では地域おこし協力隊員，北海道教育大学釧路校の学生，浦幌部のメンバーなどが協力して記事を作成している。

③ しゃっこいフェス

最近町内ではおなじみになりつつある冬のイベント「しゃっこいフェス」もWSからの再提案で，実現したものだ。若者達の有志による実行委員会が結成され，子どもの笑顔のため，毎年趣向を凝らして開催されている。

これらの成果は，子ども達の町を良くしたいと思う真摯な姿が大人達の意識を変えていった表れともいえる。

### 3）農村つながり体験事業

浦幌町の小学生は，総合的な学習の時間で，「民泊体験学習」を経験する。内容は事業名が表している通り，町内の農林漁業者宅に1泊2日で生活体験を行うというものだ。現在町内にある2つの小学校の内，浦幌小学校は毎年5年生が，複式の上浦幌中央小学校は隔年実施で5・6年生が対象となる。例外なく全ての子ども達が小学校卒業までに経験するのが，この「民泊体験学習」だ。うらほろスタイル教育の中でも象徴的な取組である。

この「民泊体験学習」と，その事前・事後学習などの一連の活動が「農村つながり体験事業」だ。自然豊かで農林漁業が全て揃っている食料自給率2,900％の浦幌町。第一次産業は大切な基幹産業である。

しかしそんな浦幌町でも，市街地で生活している子ども達の多くは生産者の生活を知らない。また，様々な作業の機械化が進む中で，農林漁業を営んでいる家庭でも，家の仕事を手伝ったことがないという子どもが昔よりも増えてきているようだ。

浦幌の基幹産業であり，大きな魅力でもある一次産業の現場や従事している人たちの生活を「子どもたちに伝えてあげたい！」「子どもたちのために地域の大人としてできることはないか？」と，町内の農林漁業者を中心とした地域の大人達が動き出した。そして2008年，子ども達を対象とした，農林漁家での宿泊を伴う作業体験の実施とその受入れを行う母体組織である「うらほろ子ども農山漁村交流プロジェクト」（現，「うらほろ子ども食のプロジェクト」）を立ち上げたのだ。

最初の体験受入れは2009年8月，町内の小学生を対象とした，社会教育事業の一環「少年リーダー養成講習」だった。12名の小学生が参加し，農林漁家の生活を体験した。その際の子どもたちの変容ぶりに教育的価値を感じた保護者などからの強い要望により，翌，2010年からは小学校のカリキュラムの中に位置づけられ，うらほろスタイル教育の一環として，現在まで毎年行われてる。

はじめは，子ども達に，生産現場やそこでの生の暮らしに触れてもらうことで，食や命の大切さなどを伝えるために始まった事業だった。もちろん，子ども達は体験したことをよく学び，農業のこと，林業のこと，漁業のことについて詳しく知って帰ってくる。しかし，学校教育として継続する中で，その他にも沢山の価値がある事業であることが，子ども達の姿から見えてきた。

体験の受入れをしている家庭では，子ども達をありのまま，家族の一員のように受入れてくれる。優しくあたたかく，そして時に厳しくしかってもらいながら，子ども達はたくさんの「初めて」に挑戦する。

開会式では，他人として初めて出会うおじさんおばさん達に緊張しながら対面するが，たった1泊でどの子も見違えて帰ってくる。

子ども達の感想からも「とても優しくしてもらった」「ダメなことをしちゃった時には，本当の家族みたいに本気でしかってくれた」「もうひとつ家族ができたみたい」というものがたくさん見られる。

学校教員も「民泊から帰ってきてみんな自信がついた。受入れ家庭の皆さんが，一人ひとりをありのままに受入れていただいている中で，たくさんのことに挑戦し，ほめたり，しかったりしていただいたことで，『自分が地域の大人に大切にされている』ということを感じたのだと思う。それが自信や自己肯定感につながっている」としている。

民泊体験学習が終わった後も，受入れ先に遊びに行ったり，町内で見かけた時に挨拶をしたり，学校の卒業などの節目に報告の連絡をしたり，様々な形でのつながりを持ち続ける子ども達も多いようだ。

民泊体験学習の立ち上げ当初から毎年子ども達の受入れを行っている農業者は，「私達はそんなに大それたことをしているわけではない。昔，我々が子どもの頃は地域の人達みんなでお互いに子どもを育てた。子ども達は，自分が大人達にしてもらったことを，自分が大人になった時にも子ども達にしてあげたいと思ってくれるはず。だからこの事業は30年，40年と続けていかなければならない」と話している。

教室だけでは得られない学びを実現し，一次産業を子ども達に伝えていくこの取組。民泊体験学習を経験した子ども達が，受入れ家庭としてこの事業をけん引してくれる日が楽しみである。

写真7-4　民泊体験学習

### 4）若者のしごと創造事業

#### ① 若者の雇用創造検討会議

小中学校での，浦幌の魅力を再発見する学習や，民泊体験学習，そして，子ども達の想いに真剣に向き合う大人達の姿を見てきて，子ども達の気持ちにも変化が生まれてきた。

うらほろスタイル教育を経験してきた世代の成人式での声や，子ども達を対象に行ったアンケート結果からは，「浦幌が好きだ」と考えている子どもや若者が以前に比べて大幅に増えてきていることがわかった。しかし，一方で次の課題も見えてきた。「浦幌は好きで将来も住み続けたいけれど，仕事がないから町外に就職して住むしかない」という声もまた多く聞かれたのだ。

家業を持っていない家庭の子ども達・若者達が，浦幌に帰ってくるには当然働く場所を探さなければならない。もちろん，町内に雇用が全くないわけではない。社会にとって大切で尊い職業であっても，人手不足が生じている場合もあれば，事業継承に課題を抱えている事業所もある。しかし，子ども達・若者達が目標としてきた職業や，夢を実現することができる職業，学んできたことを生かそうと思える職業と考えた時，どうしても多様性や選択肢の面では，都会に比べると少ないという現実がある。

浦幌に住み続けたい，帰ってきたいという子ども達・若者達の主体的な想いは，町の未来にとってこの上なく大切なものである。

この想いに応えるために，地域の大人達が「若者の雇用創造検討会議」（以下，検討会議）を組織した。メンバーは，商工業・農業・林業・漁業などの若手従事者，商工会・農協・森林組合・漁協の若手職員などが中心だ。

子どもたち・若者達が魅力的に感じる仕事の場を生み出すことを目指していたが，今いる大人達だけで，多くの子ども達・若者達を雇用できる事業を生み出し続けることは現実的ではない。

**写真7-5　若者の雇用創造検討会議**

そこでまずは，「浦幌にある資源を活用して今までにない新しい仕事（起業・創業モデル）を生み出す」ことを若者自身に挑戦してもらうことにより，「浦幌でも挑戦できるんだ！」「仕事がなければ自分たちで創る選択肢もあるんだ！」ということに気付いてもらうこと，そして，そんな若者の挑戦をサポートする体制を整えていくことを目指した。

そこで検討会議では，町内にある地域資源の可能性や潜在能力の整理，町民の声の参集，それらを踏まえた浦幌の優位性などの分析をすることで，起業・創業モデルの検討を行い5つのプランを作成した。

この検討会議と，そこで生み出された5つのプランに基づいて，地域おこし協力隊などが実際に行っている仕事づくりの活動が「若者のしごと創造事業」だ。

若者の雇用創造検討会議で作成した5つのプランは以下の通りである。

- 【起業・創業】うらほろ起業創業ラボ（拠点）の構築
- 【生産】浦幌の産業と町民を繋ぐ雇用創造―林業をモデルに
- 【加工・販売】地域連携６次産業化―ハマナスプロジェクト
- 【サービス】着地型観光の受け入れ
- 【進路指導】子どもが夢を浦幌で実現できる指導体制

### ②【起業・創業】うらほろ起業創業ラボ（拠点）の構築

新たに浦幌で若者が起業・創業にチャレンジしていく体制を整えていくにあたり，知識や情報集約・発信などを行う拠点を創るプロジェクトだ。

町民対象に行ったアンケートからも「地域のため，新規ビジネスを立ち上げたいが，そのための資金と場所がない」「町内の遊休施設を利活用し，地域の農産物や水産物を加工したり販売できないか」という声があった。

そこで，閉校となった旧常室小学校を改装し，起業・創業を行う拠点として，利活用する取り組みが始まった。

校舎内の清掃から始まり，インターネット環境を整え，町民が親しみを持つための様々なイベントを開催した。内装もほぼ手作業で多くの人の力を借りながら時間をかけて整備していった。

そして，2016年に「TOKOMURO Lab（トコムロラボ）」（以下「ラボ」）として正式オープンに至った。コワーキングスペースや，芸術家の方のアトリエとして，また，企業のオフィスとして使われており，すでにこのラボを拠点に起業された会社や個人事業主は4つにのぼる。

### ③【生産】浦幌の産業と町民を繋ぐ雇用創造―林業をモデルに

子どもたちや町民が，浦幌の一次産業をもっと身近に感じ，地域全体で一次産業について考え，課題を解決していくためのひとつのきっかけとして町民参加型の体験プログラム等を推進するプロジェクトだ。その入り口として林業をモデルにプログラムを実施している。

基幹産業とはいえ，現場が町場から離れている林業であるが，町民参加型の植林・育成活動を行うことで，生産の各場面に参加することができる。それをきっかけに多くの町民が林業に興味を持ってもらえたら，そこから課題解決や新たな価値の創出に自然とつながっていくのではないかという考えが元である。また，参加した子ども達の中から，林業に興味を持ち，将来的に担い手につながるということも考えられる。

イベントは林産振興会青年部が受け皿となり，毎年春に「夢（ゆめ）の森植樹体験会」を実施している。毎年多くの子どもたちと一緒に，父母，祖父母世代も参加している。

現在では，今までの活動も継続しつつ，森林と町民の距離を縮めるための活動も派生的に模索されている。

**④【加工・販売】地域連携6次産業化―ハマナスプロジェクト**

町の花であるハマナスを使って新たな町の特産品を創る取組だ。ハマナスが選ばれた理由は，町の花に指定されていることももちろんであるが，前述した通り，うらほろスタイル教育の中で子どもたちから「ハマナスを使った特産品が欲しい！」「ハマナスを使った町おこしができないか 」といった声が多数出ており，子どもの想い実現ワークショップから提案されたためである。

新たな特産品を生み出すにあたり，原料を栽培するため，浦幌中学校に隣接する農地に「まちなか農園」と題した交流農園を開設し，ハマナスを栽培した。

初年（2015年）と2年目に分けて，苗木の植え付けイベントを行った。約300名の町民が参加のもと，合計1,400株のハマナスの苗木を植え付けた。

多くの町民にハマナスをより身近に感じてもらえるよう現在でも，ハマナスの写生会，花の摘み取りなどのイベントを継続している。

ハマナスは安定的に収穫ができるようになるまでに，植えつけてから約3年を要する。その期間を使って，どのような特産品が良いのかを検討した。成分調査や，町民アンケートの結果，最もふさわしいとされたのが化粧品だという結論に至った。その後，専門家の助言を得ながら，町内の女性に試供の協力を受け，試作を重ねた。

まちなか農園のハマナスも収穫時期をむかえた2018年，多くの町民の手を経て，コスメブランド「rosa rugosa（ロサ ルゴサ）」が完成した。そして「rosa rugosa」を世に届けるべく，ハマナスコスメの販売会社を当時地域おこし協力隊としてプロジェクトを推進していた若者が起業した。

### ⑤【サービス】着地型観光の受け入れ

外からの旅行者や観光客を受け入れる「着地型観光」を推進するプロジェクトである。

浦幌の地域ポテンシャルには，豊かな自然や質の高い農林水産業が挙げられるが，これらは観光資源にもなり得る。その一方で帯広市と釧路市の中間に位置することから，通過されてしまう立地でもあった。

浦幌の持つ観光資源を生かして，観光客や旅行者を受け入れる「着地型観光」の体制を整える必要がある。

浦幌には，農林漁家民泊を中心とした着地型観光の実績があった。それらのノウハウを活かした，「一次産業体験を軸とした観光ツアー」や，浦幌が全国・世界に誇る貴重な資源である「野鳥観察ツアー」，前述した「まちなか農園」と町花ハマナスを活用した「ハマナスの摘み取り・蒸留体験ツアー」など，地域資源を活用した着地型観光のプログラムを設計・実施する会社も2019年に設立された。こちらも起業したのは元地域おこし協力隊の若者である。

この会社では着地型観光の実施をさらに充実させていくため，旅行者が滞在することができる拠点として，2021年にゲストハウス「ハハハホステル」もオープンさせた。町内の空き物件を活用し，多くの町民の手を借りながら，作業のほとんどをDIYでリノベーションした。

### ⑥【進路指導】子どもが夢を浦幌で実現できる指導体制 ～うらスタ塾の構築～

5つの内最後の構想であるこちらは，高校生などを対象に，キャリア教育を実施していくことを目指したプロジェクト構想である。

結論から述べると，このプロジェクトは「新たに塾を開業する」という結末にはならなかった。しかし，この考え方を土台とし，後述する子どもたち発の新たな取り組みを支える事業へとつながっていく。

アンケート調査で当時の中学生に，将来の夢や就きたい職業について答えてもらった。すると，「この職業に就きたい」という具体的な職業のイメージに加え，「この夢を浦幌で実現したい」という回答も見られた。中学校を卒業すると町外の高校へ進学するうらほろの子どもたちは，中学生段階で既に具体的な就業イメージを持ち，しかも「浦幌で」と考えてくれていたのだ。小中学校で実施されているうらほろスタイル教育の成果であり，浦幌の貴重な財産である。その夢の実現を地域みんなで応援・サポートしていくことを目指した。

しかし，町外の高校に通っている高校生たちに集まってもらえる体制づくりや，個々の興味・関心を把握し，それに見合ったプログラムを随時実施していくということなど，難しい課題はたくさんあった。

どうしたらよいのか，大人たちが悩んでいる間に，高校生たちが自らひとつのアクションを起こしてくれた。

### 5）中高生つながり発展事業

#### ① 浦幌に「第一次産業高校」を！

2015年度，この年は，うらほろスタイル教育が始まった2007年度当時，小学校1年生だった世代の子どもたちが，中学3年生になった年だ。つまり，うらほろスタイル教育を小学校1年生から9年間すべて受けてきた初めての世代ということになる。そんな彼らによる，この年の「地域活性化案発表会」（現，「うらほろ活性化プロジェクト成果発表会」）の中で，大人たちを驚かせる提案があった。

それが「浦幌第一次産業高校」というものだ。閉校した浦幌高校を，第一次産業を中心に学べる高校にリニューアルして復活させてほしいという提案だった。かつて町内からの進学率が10%台まで低下し，結果として浦幌高校は閉校してしまった。その数値を知ってか知らずか，彼らはさらに単なる提案ではなく，同級生たちに，「浦幌に高校ができたら行きたいと思いますか？」というアンケートも取っていた。その結果，なんと72%が「行きたい」と答えたのだそうだ。

ここまでだけでも聞いていた大人たちは大きな感動と衝撃を受けた。しかし，彼らの世代はここでは止まらなかった。

**② 進学しても浦幌を拠点に！～「浦幌部」誕生～**

彼らの世代が中学校の卒業式を終え，高校入学を控えた2016年3月。「進学先の高校はみんなバラバラになるけど，もっともっと，浦幌で，仲間たちとつながりながらいろんな挑戦がしたい！」そう考えた有志達が，公民館に集まり，自分たちに何ができるかを話し合った。そこで生まれたのが「浦幌部」である。高校はバラバラになっても，放課後や休日に，部活動のような感覚で集まって，浦幌のため，そして自分たちの学びのために，様々な活動を行っていこう！というものだ。

それを受けて，うらほろスタイルの中に，「高校生つながり発展事業」を新設し，「浦幌部」による活動をサポートしていくこととなった。また，前述した通り「若者のしごと創造事業」で生み出されたプラン「【進路指導】子どもが夢を浦幌で実現できる指導体制～うらスタ塾の構築～」の要素も引継ぎ，浦幌部による自主活動へのサポートに加え，高校生を対象に，様々なキャリア教育的な講座も実施している。

浦幌部の活動の中でも代表的といえるのは，町内のイベントへの出店である。浦幌特産の一次産品の魅力を広めようと，それらを原料に使った，ピザ，クレープ，シチューなどを自分たちでレシピを考え，販売している。

イベント当日ももちろんだが，なにより準備が大変である。活動時間は遅くても午後10時までと決めている。全員が町外に通っている高校生なので，その日のメンバー全員が集まるのは平日だと午後8時前後になることもしばしば。そんな中，集中して短時間で，打合せや商品の試作，装飾の作業をしている。

しかし，別々の高校に通っていることを彼らは時に逆手に取っている。高校が近くて，帰宅時間が比較的早い人もいる。それぞれが学校で所属している部活動の忙しい時期も異なる。文化祭などの行事や試験の日程も少しずつ違っている。それらをうまく調整し，お互い補い合いながら，強要しあうことなく，そして地域の大人を巻き込み，力を借りながら楽しく活動しているようだ。

**写真7-6　お祭りでの出店**

また，高校生つながり発展事業で行っているもう一方の取組み，高校生対象の講座では，様々な大人から人生談・失敗談などを聴き，そこから自分自身の今後の進路・生き方を考えていく活動などを行っている。

コロナ禍の今，「浦幌部」はオンラインも活用しながら活動を行っている。そのことによって，遠方への進学に伴い，住まいごと浦幌を離れた高校生も参加することができるようにもなった。イベントでの出店は主力の活動であったが，イベント自体が少なくなっているコロナ禍は，高校生の視点で，浦幌町や浦幌部の活動を紹介する動画を撮影・編集し，YouTubeで発信する活動を精力的に行っている。

### ③ 背中を見て動き出した中学生

高校生たちが浦幌部の活動を始めて3年後（2019年）の浦幌中学校3年生による「地域活性化案発表会」（現，「うらほろ活性化プロジェクト成果発表会」）で，また新たな提案が中学生からなされた。「浦幌をより活性化させるためには，中学生が浦幌部へ参画することが必要だ」というものである。

この声を受け翌2020年度より「中学生版浦幌部」を発足させた。義務教育段階であることなども考慮し，高校生の活動に増してスタッフの支援体制も整えながら，1年目は6名の部員から活動が始まった。

コロナ禍の中スタートした最初の活動は，浦幌の自然を紹介する絵本の作成だった。メンバーの特技を活かし，苦手を補い合いながら，情報収集・調査活動や，ストーリー・絵コンテづくりを重ね，約2年かけて完成させた。

現在は部員数，プロジェクト数とも徐々に増加している。それに伴い事業名も「中高生つながり発展事業」と改めている。3年生の中には，教育課程内で取り組む「うらほろ活性化プロジェクト」とリンクさせ，横断的にプロジェクトを進める部員（生徒）も増えてきている。

## 4. おわりに

2022年6月13日の浦幌町議会定例会での答弁によると，2019年から2021年の町内の社会動態に関し，20歳から24歳は転入者が計111人に対し，転出者が計86人，25歳から29歳は転入者計87人に対して転出者計78人。3年間で20代の転入者が転出者を34人上回ったのだ。また，20代の人口は過去減り続けていたが，2018年頃に下げ止まりとなり，そこから僅かずつながら増加に転じているという。

人口動態全体でみると，減少に歯止めがかからず，毎年約100人ほどの人口が減り続けている中で，20代だけが増えているのだ。

水澤一廣町長は，「関係人口という意味で様々な人材が浦幌に来ている。うらほろスタイルから派生した事業も要因だろう」と発言している。うらほろスタイル教育を受けてきた世代が若者となりUターンしてきている様子も肌感覚ながら間違いなく増えてきている。また，この取り組みに魅力を感じてIターンしてくる若者も増えてきた。

冒頭に，「うらほろスタイルという活動を通して私たちが目指しているのは，浦幌という地域を次世代（子どもたち）に引き渡し続けていくということだ。人口減少対策や，経済の活性化もとても大切であるが，それらはあくまで大切な手段の一つである。」と述べた。手段は数値化しやすく，目的は非常に成果として見えづらい活動である。今回の数値も目的の達成度合いとしての指標とは必ずしも言えないが，これまでの取り組みが間違えていなかったことの証明にはなるのではないか。

今後も次世代の担い手である「子どもたち」から軸をぶれさせずに，浦幌らしい，浦幌ならではのスタイルで持続可能な地域を創造していきたい。

# 第8章　アクティブラーニング日本一

水野　勝之，水野勝之ゼミナール（宮川 朋佳，
加藤 貴之，佐藤 奈々子）

## I　浦幌町と明治大学

### 1．はじめに

浦幌町は北海道の道東に位置する。農業・林業・漁業の1次産業が盛んな浦幌町は食料自給率が2,900％であるというデータがある。そのため，浦幌町にとって1次産業は最も重要な産業であると言えるだろう。しかし，浦幌町では都市部へ人が流れていくのが原因で高齢化や人手不足による産業の後継者不足の問題が発生していた。

### 2．水澤一廣町政

#### 関係人口の増大

2007年（平成19年）に水澤一廣町政が始まり現在4期目である。申し訳ない言い方だが，それ以前は浦幌といっても本土に知る人はほとんどいなかった。水澤町政はその浦幌の改革を進めてきた。

その大きな功績は関係人口を大幅に増やしたことである。関係人

口とは，住民だけを指さない。仕事をする人，観光に訪れる人，遠くに住みながら活性化にかかわる人，浦幌の企業と取引をする人など，様々な形で浦幌町に関係を持つ人を指す。

関係人口が増えることの重要性を述べたい。現在中国と日本のGDPを見ると，いつの間にかに日本は世界2位から3位に落ちてしまっている。中国の経済の勢いが大きい。GDPやその伸び率の経済成長率にしても，何がその結果に大きく影響するかといえば人口である。経済学では，人口が増えればそれも経済成長率に反映されると考えている（経済学者ロイ・ハロッド）。地域においても，同じ理論が当てはまる。地域の人口が増えればその地域の所得の大きさは大きくなる。たとえそこに住んでいなくても，関わる人の人口も同じ作用をもたらす。人は空気だけを吸って生きているわけではなくお金を使う経済活動をしなければ生きていけない。人口が増えるということはその経済活動の大きさが大きくなるということである。関係人口でも同様である。その地域にかかわる関係人口が多ければ多いほど地域は潤うのである。

## 3. 浦幌　高等教育アクティブラーニング日本一
## —大学との連携—

前述のように2008年（平成20年）より浦幌での教育を明治大学の学生に行わせていただいた。大学側もかつての教室内での教育だけでは社会的要請にこたえられなくなってきた。バブルが崩壊し，かつてのように企業が自分たちで新卒者の教育を行う余裕がなくなり，大学側に即戦力を求めるようになった。そこで，大学側も，教員が一方的に話す教室内だけの授業ではなく，教室外の体験を含めての教育が必要になった。

明治大学商学部は文部科学省平成20年度質の高いプログラム（教育GP）「地域・産学連携による自主・自立型実践教育」に採択され，地域で経済教育を行う取り組みが可能となった。北海道浦幌町は明治大学の学生たちを受け入れてくれた。

筆者のゼミ生たちが3～4年間にわたり浦幌町で研究させていただいた。北海道までは帯広空港まで飛行機で，その先は筆者のレンタカーか役場にお願いした送迎車で行き来した。浦幌町への訪問を重ねつつ，大学生たちは浦幌町の活性化について勉強させていただいた。本書の他の章でも登場するうらほろスタイルについての研究には熱が入った。当時関東では到底見られない学校教育・社会教育だったからである。学校教育として子どもたちが地域に提案することはあってもそれを実現させようとはだれも思わない。社会教育としても大人たちがその実現に協力し合うということはなかった。浦幌ではその両者がうまく組み合わさり，大人たちにも社会教育となっているように思えた。半分大人の大学生たちは子どもと大人の両方を兼ね，その政策になじんだようだった。

## 4. 明治大学のかかわり

前述の「地域・産学連携による自主・自立型実践教育」という取り組みの『コンセプトは，「見えない存在」である圧倒的多数の「沈黙する学生」を「“個”を持った存在」として「見える化」していくこと。ここでの「見える化」には2つの意味が込められています。1つは社会の中で1人の個として他者から「見える」という意味，もう1つは自分の置かれている状況や社会が「見える」という意味です。』（明治大学商学部HP）というものであった。地域活動を通して受け身の大学生たちを能動的人材に育てるというものである。筆者の学部はこのプログラムに採択され，実行に移すこととなった。

都会の私立大学の学生数は多く，1つの授業でも200人以上のものがざらだった。すると，上記の受け身の学生ばかりになってしまう。多くの学生を能動的にするために多くの学生が履修できる実践的な授業を筆者の所属する学部は開講した。「特別テーマ実践授業」という科目であった。ゼミ生もこの授業を履修したため，ゼミでは机上の授業，特別実践科目では地域活動というように，同じく筆者が担当するのであるが，科目の役割分担ができるようになった。

## 5. 地域連携の教育について

### 1）実際の取り組み

筆者のゼミナールの学生たちが2009年（平成21年）に実際に活動を始めた。水澤町長に許可を得て，浦幌町の活性化の提案をさせていただくことになった。

まずは，当時筆者が明治大学でインタビューされた記事からご覧に入れよう。

**水野のインタビュー（一部改変）**

https://www.meiji.ac.jp/shogaku/mieruka/teacher/teacher_05.html

Q：授業について

A：授業では模擬ベンチャー会社の運営を通じて，“ベンチャー”を体験してもらってる。ベンチャービジネスの存在はここ数年でずいぶんと身近になった。しかし多くのベンチャー企業が生まれる一方で，その数とほぼ同じだけの数の企業が消えていく。やはりどれだけ革新的なアイデアや，高度な知識，技術があろうとも，ビジネスは一筋縄ではいかないということ。だからこそ学生時代にベンチャービジネスを体験しておくことが，大きな意味を持つわけである。卒業後にベンチャーを志すかどうかに関わらず，ビジネスを進めるうえで立ちはだかる壁の多さを知ること，さらにはそれを乗り越える方法を自ら生み出すことなどは，商学部の学びのなかでも要の部分にあたると私は考えている。

Q：学生たちには，何を学んでほしいか？

A：授業で学んだ理論に基づいて活動してみると，現実社会のビジネスにおいては，理論が当てはまらないことばかりだと気付かされる。実はこの“気付き”が何より大切。私は模擬ベンチャーを通して，社会というものはまず人と人とのつながりがあり，そのうえに理論が存在していることを，学生に身を持って知って欲しい。そしてもうひとつ，理論や人とのつながりはもちろんだが，ビジネスの根底を支えているのはやはり根性や気力など，自分自身が持つエネルギーだということも学んで欲しい。しかし学生たちの悩み，迷い，奮闘する姿を見ていると，これはすでに身にしみてわかっているように思う。

―この授業の成果は何かありましたか？

ベンチャー体験として授業でとりあげるテーマは，学生同士でアイデアを出し合いながら決めている。昨年は明大ワッフルを加工し，受験生や地域の方々へ向けて店頭販売，今年は北海道浦幌産を中心とした安全な食品の通信販売を行っている。もちろん私も助言や協力は行うが，基本的に模擬ベンチャーはすべて学生たちの手によって運営されている。問題が起きたときなど「どう解決するのだろう」とハラハラさせられることもあるが，学生たちが協力しあって課題を乗り越える姿は，ビジネス社会に携わる者としてたくましく成長しているな，という印象を受ける。今後も通信販売の売り上げアップを目指すと同時に，新しいアイデアもどんどんカタチにしながら，模擬ベンチャーブランドを高めていく予定である。

—商学部の受験生へ向けてひと言お願いします。

商学部の私の授業では，失敗を恐れない，むしろ失敗を教材としてそれをいかに解決するかを勉強している。商学部の勉強は机上だけで終わってはいけないもの。失敗を恐れずに，つねにさまざまな角度からビジネス社会へ切り込んでいく。そんな“トライ・アンド・エラー”の姿勢があれば，商学部で学べることは無限にあるはずである。

### 2）実践教育の準備

以上がインタビュー記事であるが少し解説しよう。「模擬ベンチャー」という言葉が登場した。筆者の造語である。ベンチャーではなく「模擬」がつく。授業を受けている学生たちが作った会社である。ある者が社長になり，ある者が総務となり，ある者が会計となり，・・・というように学生たちが会社形態の組織を作る。もちろん「模擬」なので正式な会社ではない。だが，筆者が起こしていた学内ベンチャー株式会社アイ・フォスターという会社を通じて，他の組織と契約を交わせる関係にした。実際に契約するのは，アイ・フォスターであるが，動くのは模擬ベンチャーである。アイ・フォスターは仲介で，わずかな手数料は受けるものの，責任だけ大きいボランティアであった（だからこそ，学内ベンチャーとして認められたのだが・・・）。

## Ⅱ　浦幌町に関連しての模擬ベンチャー活動
## （2009年度－2010年度）

そこで，大学生たちの実際の苦労をまとめた報告書の一部を紹介しよう。2009年度（平成21年度）－2011年度（平成23年度）に明治大学商学部水野勝之ゼミナールの佐藤奈々子氏をリーダーとしたグループの報告書である。浦幌町への思いが伝わってくる。筆者が大幅改変を行って掲載する。

### 1. 模擬ベンチャーについて

#### 1）模擬ベンチャー

模擬ベンチャーでは，学生の立場ながら一企業を運営することで社会的責任の重さと企業の経営ノウハウを学んでいける。大学生たちは，地域活性化のための模擬ベンチャーを運営する最大の目的を「地域活性化と企業経営体験」とすることとした。その運営にあたり2つの軸を設けた。「広域連携の地域活性化」と「商学の実践」である。筆者のゼミのテーマである地域活性化と商学部ならではの商学実践を並行して行っていくこととした。学生が企業を運営する場合に最も大きいリスクは，事業に失敗して社会的責任を負わなくてはいけなくなったときである。そこで模擬ベンチャーが他の企業と契約を結ぶ場合は，筆者が学内ベンチャーとして運営している株式会社アイ・フォスターが代わってその契約を行う。社会的責任が発生した場合に学生自身がその社会的責任を負わなくて済むような仕組みとした。どこの大学にもない教育体系を作り上げたつもりである。

### 2）模擬ベンチャー学習の流れ

企業経営体験は，3つの行程からなる。①企業の体制を作り，②商品の仕入と販売，および③それらによって生み出された数字を処理・分析し，次の経営戦略に生かしていく企業運営である。第1の企業体制を形成するため，学生たちは経営方針を確立させ，組織を構成した。経営方針は浦幌町の活性化とし，3人の学生から成る企業とした。会社法の改正により1円からでも会社を運営できるようになったため，学生たちは1円の資本金を設定した。第2の行程の「商品の仕入と販売」では，浦幌町の取扱商品と仕入先を決定し，商品の販売価格の設定を行う。そして仕入値，仕入個数，売価，販売個数等の在庫管理を行い，販売日には販売促進活動を行う。第3の「企業運営」では，生み出された数字を会計処理し，次の販売戦略を練るための判断材料として使用する。こうしたプロセスを学生たちが自ら設定した。

### 3）学生たちの模擬ベンチャー「meicu」

学生たちは自分たちの模擬ベンチャーの社名を「meicu」とした。meiが明治（meiji）の明（mei），メイキューという音は英語のmake youに由来している。名前を付けることが苦手な筆者から見ると，センスのある見事な命名であった。

企業には経営方針が定められているのが普通である。理念である。meicuの経営方針は「模擬ベンチャーという立場に甘んじることなく，一企業として社会的信頼を得る活動を目指す」というものとなった。一見当たり前のことのように思われるが（＝いずれの会社も同様である），「信頼を得ることができなければビジネスをすることは難しい」という考えからきている。利益を追いかけることも企業として重要だが，それ以前に社会的信頼を獲得することを目指していくことが重要であることを経営方針に表した。

### 4）模擬ベンチャーの活動

この模擬ベンチャーの主な活動のひとつは，浦幌産の産物を東京で販売することであった。その際の彼らの課題は，浦幌の何を仕入れて，どこでどのように販売するかの２つであった。第１の販売する商品については浦幌まで足を運び，自分たちの目で調査し，取引の交渉をする必要があった。第２の販売先については自分たちができる範囲で開拓しなければならなかった。

第１の販売商品については，役場や町民の方から直接話を聞いた。その情報から，主に，浦幌の名産を販売している株式会社Ｃ社と取引を行うこととなった。Ｃ社が扱っている浦幌名産の行者にんにくの加工品の販売の際，学生たちはまずもって行者にんにくが分からない。にんにくはわかるが，なぜ「行者」が前についているのかわからない。両者が合体した行者ニンニクというのは想像がつかない。当時のインターネットでようやく，浦幌町でも短期間に山の中で採取される植物であることがわかった。

第２の販売先に関しては，苦労があった。明治大学関係のイベントでの販売許可や教職員への販売許可については教育活動の一環であるので容易にとれた。しかし，外部で販売する難しさはあった。

だがこうした苦労を重ねる努力を浦幌町の人たちのために学生たちがやらせていただいたのは大学教育にとってありがたかったし，大学生たちにとって大きな成長の機会となった。

## 2. 浦幌町の企業と東京のアンテナショップの連携の模索と失敗

では具体的に模擬ベンチャーの活動を説明しよう。ここで紹介するのは2つの内容である。第1は，彼らが実際の東京の店舗に浦幌町の商品を置けないか交渉した内容である。第2は，（第1がうまくいかなかったので）身近なイベントなどで浦幌町の商品を実際に販売した体験である。ここではまず第1の浦幌町の商品の東京での取引先を探した苦労を取り上げよう。

自分たちの模擬ベンチャーが浦幌町の認知度を上げるために何ができるか，浦幌町の地域活性化のために東京で何ができるか，という点について学生たちは考えた。その際に挙げられた案は，「浦幌町の既製商品の販売を東京で拡大する」という案と，「浦幌町の企業と提携して新たな商品を開発し，その商品を東京で販売することによって，利益を浦幌町に還元させる」という案であった。学生たちは，①東京で浦幌町の既製商品を販売してくれる店舗を探す，②浦幌町で生産物を提供してくれる企業を見つける，という2つの活動を展開した。いくつかの候補をあらかじめ挙げて，それらへの打診としては，①では「北海道浦幌町の商品を店内に置いてもらえないか」，②では「貴社商品の販売促進を東京で行ってみないか」，「私たちと提携して東京で新しく販売するための商品開発をしていかないか」という内容であった。

まず①に関して，東京での販売店を探したい。むやみにデパートに行っても相手にされない。そこで彼らが考えたのが東京にある北海道のアンテナショップであった。北海道アンテナショップとは，東京で北海道のものが味わえるレストランやカフェである。

当時北海道のアンテナショップは東京に5店舗あった。それらの店舗ひとつひとつに，学生たちが「浦幌町の地域活性化をテーマに活動していること」，「そのために浦幌の産品の販売促進や商品開発をしたい」という旨を伝えた。そのうち，「北海道アンテナショップA（主要駅）」と「北海道アンテナショップB（郊外駅）」の2店舗から前向きな回答を得ることができた。同じ北海道だからと言って，全部が前向きに回答してくれるわけではないことを学生たちは経験した。

北海道アンテナショップAの回答は，「地域活性化という目的で浦幌町の商品の販売促進をするのであれば販売することも可能だが，売り上げが見込めるか検討したい」とのことであった。また，北海道アンテナショップBからの回答は，「明治大学の学生だからこそできることを行ってほしい」ということ，更に「パッケージへの工夫や，売り方，売値などの企画段階から，店側としてもアドバイスをしていきたい」というものであった。

また，各アンテナショップに連絡した際，浦幌町の商品が置かれているかを尋ねた。「北海道アンテナショップA」1店舗のみが，浦幌町の商品である「フリーズドライお豆（黒豆，金時豆，白花豆）」を扱っていることが判明した。これ以外にレストランやカフェ3軒にも浦幌の材料を使っているか尋ねたが，どの店舗でも取り扱っていないとのことであった。北海道アンテナショップAでしか浦幌町の商品が扱われていない，それも販売されていたのは1商品のみということで，学生たちは自分たちの活動の必要性を確信した。自分たちの活動の目標を，東京のアンテナショップで浦幌町の商品を置いて販売してもらうこととした。

また，販売してもらうアンテナショップ探しと同時進行で，学生たちは自分たちと提携してもらえそうな浦幌町の企業や店を見つける作業に入った。方法として，浦幌町商工会のホームページ内の企業案内のページを参照し，その中から浦幌町の食材を取り扱っている企業を選び出した。浦幌町の活性化という観点で考えると浦幌に会社があるというだけでは意味がない。浦幌町の食材を取り扱っていることが重要で，そうした企業に絞り込むこととなった。その選別した上で，それらのいくつかに，自分たちの活動の趣旨に賛同してもらえるかを尋ねたうえ，商品を販売を検討してくれる可能性のある北海道のアンテナショップが東京に2件あることを伝え，一緒に商品の販売促進や商品の開発を行ってもらえないかと打診した。その結果，浦幌の(株)C社からは協力してもらえるとの返事が得られた。(株)C社は，ギョウジャニンニク，ギョウジャニンニクドリンク，ジンギスカン，ふりかけ，鮭とば等の販売仲介会社である。学生たちは，C社と協力し合って，東京に浦幌の産品を置く努力を始めた。

## 3. アンテナショップとの交渉

### 1） C社との交渉1

大学生たちは，2009年（平成21年）7月2日初めて浦幌町を訪問した。その際学生たちはC社を訪ねた。C社と学生たちの最初の会合であったため，最初は学生たちの商品の試食から始まった。様々な商品を試食させてもらったところ，学生たちはどれも東京の人たちにもなじむ味であると判断した。ただ，おいしいからすぐに東京のアンテナショップに陳列させてもらえるという甘い状況ではない。浦幌町と東京との距離が長く輸送時間がかかるためアンテナショップの店頭でディスプレイできる期間が短くなるということをC社から指摘され，商品を販売してもらうことの難しさを学生たちは学んだようだ。

### 2）北海道アンテナショップBとの交渉

学生たちの活動の趣旨についてより詳細な話をするため，まず北海道アンテナショップB（M市）を2009年（平成21年）7月9日に訪ねた。訪問して話させていただいた際，お店側から4点の指摘を受けた。

1点目は，「北海道－東京間の送料」についてであった。送料が高額であるとそれを商品の価格に転嫁せざるを得ない。大量に運ぶならばともかく，少量で運ぶ場合商品の輸送コストが割高になってしまう。

2点目として，「売れ残りリスクの負担を誰が負うのか」という問題が挙げられた。売れ残った商品を卸業者が買い取るのか（消化仕入），小売店が発注した分だけ仕入れるのか（買取仕入）という問題だそうである。学生たちのケースで考えてみることとする。例えば，C社に商品を北海道アンテナショップBが30個発注し，売れ残りが10個出てしまったとしよう。まず前者の消化仕入の説明である。北海道アンテナショップBは売れた20個分の代金を支払い，20個仕入れたという処理を行う。売れ残った10個をC社が買い取るというものである。他方，買取仕入の場合は，10個売れ残ったとしても，発注した30個分の代金全額を北海道アンテナショップBがC社に支払う。そして，30個を仕入，10個を損失として計上するというものである。このどちらかにするか，C社を含めての要交渉であった。

3点目は，「大学生ならではの工夫をしてほしい」とのことであった。ただ単に商品を卸すことはプロならば誰でもできてしまう。その作業だけに特化すると，大学生たちが卸業者と小売店の間に介入している意味が失われてしまう。若い人たちの発想が大切であること，大学生にも成長してほしいとの思いがアンテナショップBにはあったと思われる。具体的依頼として，パッケージやステッカー等において工夫をしてほしいとのことであった。

4点目は，「その土地でのニーズを考える」ということであった。

東京のアンテナショップといっても人の行きかう駅と住民の住む町とでも違うはずである。ヒントとして，後者の郊外の町にあるアンテナショップBでは，干物やデザートに人気があるという情報も得た。

机上では勉強していたものの実際の流通についての知識が乏しい学生たちであったが，実際のお店から教えてもらった上記4点の内容は非常に勉強になったようだ。学生たちは，これらのうち取り組みやすい3点目から始めることとした。シールやパッケージに明治大学のロゴ等を入れることによって明治大学の学生がその商品に関わっていることをアピールすること，北海道浦幌町産であることを強調するためのシールやパッケージを作ることが解決の一つだと考えた。そして様々な種類の鮭とばを少量ずつ組み合わせてセット販売を行ったり，一商品当たりの内容量を減らして値段を安くしたりして，様々な購買層の人々に手が届くようにすることなども発想した。もちろんすぐ実現するものではないが，アンテナショップBの指摘は学生たちが具体的に考えるきっかけになった。

### 3）北海道アンテナショップAとの交渉1

さらに，2009年（平成21年）8月1日学生たちは主要駅にある北海道アンテナショップAを訪問した。活動の趣旨を説明したところ，学生たちの活動に興味を持ってくれたようだった。しかし，商品に関する情報等が不十分であったため，新たな浦幌産の商品を販売する許可はすぐにはでないとのことであった。だが，北海道アンテナショップAが指摘した点が克服，改善されれば新規商品の販売の可能性もあるという前向きな回答も得られた。この訪問で，北海道アンテナショップBが北海道アンテナショップAの系列店であり，北海道アンテナショップAの管理下にあるということもわかった。これは北海道アンテナショップAで承諾を得られなければ，北海道アンテナショップBでも販売することができない可能性が高いということを意味する。さらに，北海道アンテナショップBは2009年（平成21年）9月に閉店する予定であるということであった。この事実を受けて，学生たちは北海道アンテナショップAとの交渉に主軸を置くこととした。

北海道アンテナショップAのお店の方から学生たちに課された大きな課題は，まず「自分たちが商品の詳細を知ること」であった。つまり，北海道アンテナショップA側が納得するような，商品に関する「裏付け」や「根拠付け」が必要だとのことであった。お店の方から指摘を受けた不足点は大きく分けて4つあった。①C社が現在の取扱商品を取り扱っている理由，②類似商品との差異，③商品の品質というものであった。当たり前の要求であるが，机上でしかマーケティングを勉強してこなかった学生たちにとって目からうろこのような内容だった。

そこで，学生たちはこれらの課題について次のようにまとめた。

**① C社が現在の取扱商品を取り扱っている理由**

商品の品質，ストーリー性（商品ができるまでの背景），味，作られている場所や気候などの情報に基づいて，北海道アンテナショップAがその商品を取り扱うか否かの判断材料とすると考えられる。それらの調査が必要である。商品を北海道アンテナショップAに売り込んでいくにあたってこれらの情報は有力な武器になる。

**② 類似商品との差異**

類似商品との差異は，商品の特徴となり，セールスポイントに繋がる可能性が高い。学生たちが売り込んだC社の商品の類似商品がすでに北海道アンテナショップAで販売されていた場合，消費者のニーズに類似商品だけで応えられるのか，それとも売り込んだ商品も販売するべきなのかという判断を北海道アンテナショップA が行う。提案したC社の商品についても北海道アンテナショップA が販売するか否かの判断を行うため，その根拠付けとして，売り込んだ商品と類似商品の差異が必要とある。

③ 商品の品質

北海道アンテナショップAが商品を検討する際に実際に使用している「品質管理チェックリスト」があった。それを学生たちは見せてもらった。それを参考に，衛生面，成分表示について調べる必要があることが分かった。商品の衛生面が保証されているかは，PL保険（製造物賠償責任）加入の有無，消費期限の設定根拠の明示等から判断される。

成分表示については，成分表示が「JAS法（農林物資の規格化及び品質表示の適格化に関する法律)」と「食品衛生法」の基準を満たしているかを調べる必要があった。

その内容は非常に詳細で厳格であった。ここまで厳格に一般のお店の品質管理がなされていることは，学生たちにとってこの活動に携わらないとわからないことであった。

上記①～③の3点とは別に，売れ残りリスク（在庫リスク）についての指摘もあった。北海道アンテナショップBと同様の指摘で，買取仕入れであるのかどうかという点であった。この点に関しては C社と学生たちが話し合うよう助言を受けた。

商品を販売することが決定した際，店頭で浦幌町についてのアンケートをとりたい旨も伝えた。すると，北海道アンテナショップA にはポイントカードがあるということを教えてくれた。個人情報は守秘ではあるので伝えられないが，そのポイントカードからマーケティング情報は教えてあげられるとのことだった。浦幌の商品に関する情報を統計資料として活かすこともできるのではないかという提案を得ることができた。さらに，当事者に悪いことを言いづらい等の回答者の心理的理由から，対面式のアンケートは信ぴょう性が低いという助言も受けた。改善するべき点が多々指摘されて困惑したものの，初めて知ることばかりで学生たちの勉強に役立った。実社会で活動させることのメリットが示されたといえよう。

### 4）C社との交渉2

北海道アンテナショップAから指摘された点をメールでC社に相談した。そのやり取りの結果，C社への9月の訪問時に資料をもらうこととなった。さらに，C社側で，学生たちの訪問時までに，アンテナショップAの指摘に応じて売り込めそうな商品を考えておいてくれるとのことだった。実際9月の学生たちの訪問時に，具体的な商品として「ふりかけ」と「山わさびのしょう油漬」を提示してくれた。C社は，東京と北海道間の輸送距離が長いという問題点に着目したという。消費期限が短い商品は店頭に置ける時間が短いため，売れ残りを買い取る場合，すぐに引き取らなくてはならなくなる。このことを考慮し，東京で販売してもらうならば，消費期限の比較的長い商品や冷凍保存できる商品が適切なのではないかという提案であった。ふりかけは乾物であるため，消費期限が長い。山わさびのしょう油漬は冷蔵だと消費期限が短いが，冷凍だとかなり日持ちするとのことであった。この2商品の現物とPL保険のコピーを東京に持ち帰り，再び北海道アンテナショップAと交渉することとなった。

### 5）北海道アンテナショップAとの交渉2

浦幌から帰京した2009年（平成21年）10月13日，学生たちは北海道アンテナショップＡを再び訪ねた。前回訪問時の指摘点（第二項参照）を解決しきれていなかったこともあり，再度指摘を受けた。前回と同じ指摘点は，消費期限の根拠（検査等のデータ），商品の製造背景（ストーリー）であった。このとき，新たに指摘された点は3つあった。①価格設定の内訳，②販売期間の長さ，③相対する取引先についての3点である。

① 価格設定の内訳

卸価格と販売価格が適切であるのかが問われた。Ｃ社が東京に商品を卸す際，(卸価格) ＝ (送料) ＋ (商品原価) であるのか，それとも(卸価格) ＝ (商品原価) で送料は別途であるのか。また，Ｃ社が顧客に商品を販売する際，(販売価格) ＝ (卸価格) ＋ (送料) ＋ (利幅（Ａ社の利益)) であるなら，利幅の部分が変動するのかしないのか。つまり，販売価格が参考価格であるのか固定価格であるのかという指摘である。さらに，送料の詳細をロット単位で提示することも求められた。Ｃ社のロット単位が学生たちには不明であったため，Ｃ社のロットを調べる必要があった。

② 販売期間の長さ

学生たちが店頭でアンケートを取る際にそのアンケートが統計資料としての効力を持つにはどれだけの期間がいるかも指摘された。アンケートに必要な期間だけ商品を置いて販売しようという北海道アンテナショップＡの意向が伺えた。

③ 取引先

卸業者のＣ社ではなく，製造元のＯ社と直接取引したほうが安く仕入れられるのではないかという指摘である。

これらの指摘点を持ち帰り，学生たちは不足資料をＣ社に再度請求した。また，期間については，彼らの販売期間（アンケート期間）は2週間から1か月が良いと判断した。取引先についての指摘は，地域活性化の観点からより多くの浦幌町の企業が利益を得るようにするためにやはりC社を通して取引きを行うこととした。浦幌町の活性化が目的だったからである。

### 6）認識の擦り合わせ

C社からの資料が学生たちの元に届いたのが2009年（平成21年）11月末であった。即座に，資料と共に学生たちの意向を記載した文書を北海道アンテナショップAに送付した。すると北海道アンテナショップAから電話で連絡があった。内容は商品を販売する際の条件の再確認であった。学生たちが送付した資料の内容と今までの話し合いでの条件に若干ずれが生じているというのである。つまり，学生たちと北海道アンテナショップAの間で認識にずれが生じてしまっていたのである。

学生たちは，C社と北海道アンテナショップAの取引きが長期であるか短期であるかに関わらず，C社と北海道アンテナショップAが契約し，C社が口座を開設すると認識していた。だが，この時の連絡では，短期での販売（催事）での取り扱いであるため，契約も口座開設も行わなくても良いとのことであった。催事の仕組みについても解説があった。売上の何％かが卸業者にマージンとして支払われ，残品は引き取らずに卸業者が買い取る（売れたもののみ仕入れる（消化仕入））ことになるという。これらの話を踏まえてC社と学生たちの意志を確認してほしいとのことであった。確認事項は，催事の販売でも良いのか，消化仕入でも良いのか，今後長期の取引きをする意思があるのかという3点であった。

早速学生たちはC社にこの3点について問い合わせた。催事の販売でも構わないということ，短期の催事なら売れ残り分は買い取るという形で全く問題ないということを確認することができた。長期取引の意思については，東京での販路拡大にもつなげるため，長期販売の方が都合が良いとのことだった。総じてＣ社は北海道アンテナショップＡと学生たちの意向に任せるとのことだった。長期取引になる場合は，北海道アンテナショップＡとＣ社間で，契約の話し合いの際リスク負担について決めたいとの話であった。

学生たちは，アンケート収集や販売の成果を見る目的ならば，短期間の販売でも十分だと考えた。だが，浦幌町の活性化，浦幌町外からの利益の獲得という観点から考えると，長期間での販売が必要であると判断した。現段階において，長期販売が売れ残りリスク等の問題で無理ならば，短期販売（催事）で様子を見てもらい，売れ行き次第で長期販売を検討してもらおうとの考えに至った。

学生たちは北海道アンテナショップＡにＣ社の意向と自分たちの意向を伝えた。北海道アンテナショップＡの回答は次の様なものであった。市場調査の観点から，売れる商品を差し置いて，売れるかどうかわからない商品を並べること自体がボランティアになってしまうこと。また，それが長期になることは利益を放棄するに等しいこと。浦幌町の活性化は確かに大学生たちにとっては核心的なことであるかもしれないが，一つの企業が賛同するためには確実な利益の見込みが必要であるということ。売れる商品と判断した場合は，北海道アンテナショップＡがリスクをとって買い取りをし，販売するとのことであった。

### 7）残念な結果

このやり取り以降，アンテナショップＡからの連絡がなくなってしまったという。認識のすれ違いの原因としては，学生たちが同じ担当者と話しをしていないことが挙げられた。訪問や電話の度に学生に話しをしてくれる人が変わっていたのである。学生たちが前回担当してくれた人を指名しても，実際訪ねたり電話をしたときには違う人が応対するケースが多かった。そのたびにまた一から話さなければならなかったという。大学の授業でも忙しかった学生たちが連絡や資料の送付に時間がかかってしまったのも原因のひとつであった。残念な結果とはなったが，学生たちは商売の難しさを身をもって学んだ。

## 4. 交渉から見えてきたもの

北海道アンテナショップAと地元C社とのやり取りから見えてきた事柄について整理する。C社は，個人を主な顧客とする通信販売の企業である。そのため，顧客がC社から商品を買うと決断した時点で，商品に付随する安全性や送料等の問題は顧客によって了承されたことになる。だが，東京の北海道アンテナショップAに商品を卸すとなると話が変わってくる。社会で情報化が進む中，消費者は様々な情報を元に商品を比較した上で，購入するようになった。消費者に商品に関する詳しい情報を提供する必要がある。その情報は，成分表示，賞味期限，値段，商標登録，承認や許可の有無等多岐に亘る。製造者や販売者はこれらの情報について，義務付けられているものだけに限らず，すべての商品に表示していかなければならなくなった。また，現代において，店への信頼は言わばブランドと同じ効力を発すると言える。消費期限偽装問題に見られる様に，信頼を失った企業や店は倒産したり，立ち直るのに相当の時間がかかっている状況である。「何か」あっては遅いのである。「何か」が起こる前に予防しなければならない。この場合の予防とは，表示や消費期限が本当に正しいのか裏づけがとれた商品のみを扱うことである。さらに，PL保険に加入している商品であれば，万が一「何か」あった際にも被害額を最小に抑えることができる。これは有事の際への危機管理だと言えるであろう。

結局この時の取引は断念せざるを得なかった。浦幌町の外貨（町外からの利益）の獲得への学生たちの努力は一歩，歩みを進めたところで終わってしまった。残念なことではあるが，学生たちに経験を積ませ，成長させたことは確かである。

## 5. 小括（水野）

模擬ベンチャーに関しては学生の報告書を水野が大幅に書き換えた。だが，文章力のある学生たちなので，文脈がしっかりしていて水野も読みごたえがあった。文章力だけでなく，行動力もあったことと思う。だからこそ，臨場感のある文章展開となった。

このとき，浦幌商品をぜひ東京にも広めたいという彼らの思いは成功にいたらなかった。しかし，浦幌町の協力のおかげで学生たちが実際のマーケティングに接することができた。学生がＣ社とアンテナショップＡの間の仲介役を果たしながら，教室内で教わるマーケティングだけでは現実に対処できないことを学んだ。また，その背景にあるお店の姿勢とコンセプトも学ぶことができた。お店が何を大切に考えているのかということが前述の文章から読者の方にも伝わったことと思われる。

これは浦幌町が大学という高等教育に協力して初めて実現したアクティブラーニングだと考えている。突然お店同士の仲介を行えたのではなく，浦幌町がバックについてくれたのでこの教育が実現した。浦幌町が大学教育の場を提供してくれた。当時社会の組織が若い学生たちを信頼して彼らに協力するというのは本当に難しいことであった。筆者も現場で教えていて，突然これまでの勉強を辞めてしまう学生，ゼミ自体を辞めてしまう学生を何人も目の当たりにしてきた。浦幌町，C社，A社がその若者たちを全面的に信頼し支援してくれたことからこの教育が実現できたと思う。当時このような教育の実践は全国他に例を見なかった。その意味で，浦幌町は大学教育でのアクティブラーニングの先進の町でもあった。

大学生たちもこうした浦幌町からの期待を感じていたので，ここでの失敗で学生生活，ゼミ生活を終わらせなかった。それこそが教育で最も重要なことである。

## 6. 学生たちのリベンジ —販売活動内容—

努力を重ねたものの結局アンテナショップAで販売してもらうことができなかった。そこで学生たちは頭を切り替え，浦幌町の商品を自分たちで直接販売する行動に打って出た。彼らはくじけていなかった。学生たちの模擬ベンチャー自身での販売である。学生たちが参加・販売できる機会があれば浦幌町の商品を自分たちの手で販売しようと計画を立てた。

模擬ベンチャーの販売部は，①取引先の決定，②取扱商品の決定，③仕入・在庫管理，④販売，⑤会計処理・分析という流れで基本的に活動を行った。本節では，①と②をこの流れに沿って説明した後，③から④までを販売日ごとに説明する。最後に⑤について述べ，販売部活動内容の説明とする。

### 1）取扱先の決定

前述のように，学生たちは北海道十勝郡浦幌町の商品販売による地域活性化に努力した。しかし，東京で浦幌町の商品を販売する計画を立てたが，頓挫してしまった。そこで，2010年度（平成22年度)，「浦幌町の認知度をあげること」，「町外からの収益を獲得すること」などを達成するために浦幌町の商品を販売することにした。

次に，浦幌町の企業の中から前回お世話になった，浦幌町の第三セクターである(株)C社にお願いして商品を販売させてもらうこととなった。

### 2）取扱商品の決定

取扱商品を決定するにあたり，学生たちは，浦幌の主な特産物が肉用牛，馬鈴薯，甜菜，小麦，豆類，サケ，タコ，ホッキ，シシャモであることを事前に認識していた。この情報の下，C社の商品のうち，どの商品を取り扱うかを決定した。最初は明治大学父母会（の会合）で販売会を実施する予定であったため，商品の選択基準を次のように設定した。ターゲット層である40代～50代（親世代）が好むものであるか，そして在庫管理がしやすいかどうかという基準であった。大学生にとって在庫管理のしやすい商品とは，傷みにくいもの，かさばらないもの，小ぶりなものを指す。これらの点を考慮したうえで，学生たちは「鮭とば・鹿肉缶詰・しゃけふりかけカニ入り・エビふりかけホタテ入り・行者大蒜ドリンク・うらほろドリンク・小豆・金時豆」の取り扱いを決定した。

### 3）仕入・在庫管理，販売

この節では，各販売日ごとに説明を行う。父母会というのは明治大学が行う各地区の保護者会である。明治大学の学生は3万人なので一度に行うことができない。そこで全国を細分化し，個々の保護者と接することができる人数で保護者会を開いている。実際に集まるのは各地区父母会とも200名程度であった。関東近郊の地区父母会は御茶ノ水にある明治大学アカデミーコモン校舎で行われた。

また，明治大学のOB会である校友会も同様に行われており，総会が明治大学校友会館である，御茶ノ水の紫紺館で行われた。生明祭は明治大学生田校舎での学園祭である。販売日，販売場所は次の通りであった。

2010年（平成22年）

6月5日　父母会（アカデミーコモン2F），校友会（紫紺館3F）
6月12日　父母会（アカデミーコモン2F）
6月26日　父母会（アカデミーコモン2F）
7月3日　父母会（アカデミーコモン2F）
11月20日　明治大学学園祭（生明祭）

### ・2010年（平成22年）6月5日

父母会と校友会での販売に向けて，学生たちは164点74,380円分の商品発注を行った。また，発注と同時に，学生たちは活動資金として10万円の借入も行った。この借入金は筆者の学内ベンチャーである株式会社アイ・フォスターから借入れた。最長借入期間1年間，年利5%という契約とした(注24)。次に，学生たちは商品の販売価格の設定を行った。彼らは取扱商品を収益商品と集客商品に分類した。指導教授である筆者から見て，この発想は見事だったと思う。収益商品では高利益率，集客商品では低利益率になるよう販売価格を設定した。

父母会と校友会の2か所で販売をするには，模擬ベンチャーmeicuの社員だけでは人手が不足していた。そのため，彼らは販売を手伝ってもらうアルバイトを募った。アルバイトのシフトを作成

---

（注24）もちろん学生が事業に失敗して返済できない場合は筆者が弁済する予定。（学生には言わなかったが）

したり，来客時間帯を予想して，販売活動の円滑化を図った。さらに，商品の魅力や価格を宣伝するための各商品のPOPも作成した。販売を行うためには，釣銭も準備する必要があった。銀行で両替をする際，取引貨幣枚数が一定数を越えると，手数料がかかってしまうことも彼らはこの時はじめて知った。彼らの対策として，複数の銀行で両替を行い，手数料をかけずに釣銭を作った。見事であった。

この日の売上は103点86,650円であった。残った在庫は，61点¥31,682（試食分込）だった。父母会では，開店前から学生たちが販売する商品に保護者の方々が興味を持ってくださった。父母会より年齢層が高い校友会では，「鮭とばは硬いから買うには抵抗がある」等，商品に対する指摘を受けたという。この日の販売での反省点として，学生たちは次の3点を挙げた。商品知識が乏しかったためお客の質問に答えられないことがあったこと（課題1），活動意図をお客から尋ねられ答えに窮したこと（課題2），同系色の商品を隣同士に並べてしまったこと（課題3）である。次回への反省点である。

**・2010年6月12日**

6月12日の対象地区の異なる父母会での販売に向けて，学生たちは追加で93点37,541円分の商品の発注を行った。6月5日の反省を踏まえ，課題Ⅰ，課題2に対して活動意図をPRするためのチラシ（次図）を作成した。販売しながら彼らの目的をお客に伝えるためである。また，課題3に対しても商品の色味が映えるような商品陳列を行った。

この日の売上は，77点53,300円であった。残った在庫は，73点38,484円（試食分込）であった。この日，販売会の前半は，お客になかなか商品への興味を持ってもらえず，お店の前を素通りされてしまっていた。同じ父母会でもさまざまである。 しかし，父

図表8-1　学生たちが作ったチラシ

母会の会場に入る人たちにPRチラシを配布したことによって，後半は，徐々に売れ始めた。この日学生たちが感じた課題は，お客呼び込み活動を促進するべきだということであった。この日はなぜか当初お客様がなかなか店頭まで商品を見にきてくださらなかったからだ。まったく同質の消費者にもかかわらず行動パターンが違うことがあることが分かった。そのため，学生たちは，呼び込み活動に力を入れるべきだということを学んだ。

### ・2010年6月26日

6月26日の父母会での販売にむけて，学生たちのmeicuは18点6,189円分の商品の追加発注を行った。前期に予定していた販売会は，残すところ6月26日と7月3日のみとなっていた。他の商品の在庫を抱えた状況であったが，集客商品は新たに仕入れる必要があると判断した。仕入れた商品は，エビふりかけホタテ入り，鹿肉缶詰（カレー），行者大蒜ドリンク，うらほろドリンクであった。

この日の売上は，59点40,600円であった。在庫は，31点20,578円分（試食分込）となった。この日の販売会は，売れる時間帯と売れない時間帯が大きく分かれた。また，店頭にお客がいるかどうかで集客数に影響があることに気付いた。客寄せの「さくら」をお客が自然に行ってくれていたが，その役を担う方がいないとほとんどお客が集まらないという経験をした。前期の販売会が残り1回となった状況も踏まえ，学生たちはお客を店頭に引き留めておく工夫と商品が売れ残らないような価格設定の必要性があると考えた。

**・2010年7月3日**

学生たちの前期の販売会は7月3日が最終日であった。集客商品を始めとした商品の仕入れはこのときは実施しなかった。売れ残りを生まないための工夫として，在庫が特に多かった小豆と鮭とばのセット販売を行った。セット販売は，同じ種類の商品を2つ以上購入すると，単価が100円引きになるという工夫であった。

この日の売上は，30点30,700円であった。見事商品が完売したため，在庫は生まれなかった。セット販売が効力を発揮し，小豆が過去最高の売上を記録した。また，商品のことをだけを顧客に伝えるだけのではなく，学生たちはサークルやゼミ活動などの学校生活のことも話すようにした。すると，自然に一人のお客との会話の時間が増え，その光景をみた他のお客が店頭に足を運んでくれるようになっていた。学生たちはお客と積極的に話すことを意図したようである。前回の反省点であった「さくら」効果がこのとき発揮された。

・2010年11月20日

明治大学生田校舎の学園祭での初めての販売であったため，学生たちは農学部の他ゼミの方々に協力してもらった。そのゼミの販売場所を一部借りて学生たちは浦幌の商品を販売をすることとなった。この生田校舎での学園祭は学生たち対象の販売のように見えるが，生田校舎には農学部があるため近隣の多くの人たちが農産物購入のために訪れていた。学生たちは期待した。この日に向けての仕入れは，36点13,727円分であった。後期の販売会実施予定は，この回が最初で最後であった。そのため，仕入数を大幅に減らし，商品数も絞った。仕入れた商品は，鮭とば，鹿肉缶詰，行者大蒜ドリンク，UMドリンクふりかけであった。

この日の売上は36点16,600円で，売れ残りは発生しなかった。前期の販売とは全く違う環境での実施であった。前期の販売会は父母会や校友会での販売であったため，出店しているのは筆者のゼミの学生たちのみであった。しかし，この回の生明祭では，農学部で作られた新鮮な野菜を安価で提供している店等，周囲に魅力的な店舗が多く存在した。そのため，学生たちが呼び込みを行っても，商品に対してお客はなかなか興味を持ってくれなかった。学生たちの店舗が協力してもらったゼミと同じブース内であったため，お互いそれぞれの商品を宣伝し合った。そのゼミの商品を見に来たお客様に対してPRをして売上を伸ばした。さらに，学生たちが商品とPOPを持って店舗から飛び出し，お客に彼らから近づいて商品をどんどん売り込んだ。これは，実際に商品を目で見てもらうためであった。そのときの反省点は，うちのゼミの学生のスタッフ人数が少なかったこと，商品と顧客のミスマッチがあったことが挙げられた。スタッフ人数の不足によりビラをまくことができず，商品や地域のPRが十分にできなかった。また，休憩時間をとることもできなかった。学生たちは，親世代のみにターゲットを絞っていた。親世代は，農学部の野菜を求めて生明祭に午前中に訪れていた。午後には親世代が帰宅してしまい，かつ近隣からの一般客も数が減ったため，商品と顧客のミスマッチが起こってしまった。このため，商品に興味を示す人にむらができてしまった。だが，多くの仕入れをしなかったことが功を奏し，前述のように売れ残りが生じなかった。

### 4）会計処理・分析

月次処理を行うにあたり，学生たちは在庫管理の工夫と会計処理の工夫を行った。在庫管理の工夫では，在庫管理シールとチェックシートを作成することで，売上数や売上金額を容易に把握できるようにした。在庫管理シールとは，仕入れた商品が売れたのか，在庫になっているのかということを判別するために，商品の一つ一つに貼るシールである。この在庫管理シールはいわばバーコードの代わりを果たしていた。 また，チェックシートとは，お客から代金を受け取って商品を引き渡す際に，引き渡す商品のシールの番号を消しこんでいくためのシートである。この2点を活用することにより，在庫確認や売上確認，売上金額の把握を効率よく行うことを可能とした。 会計処理の工夫では，商品在庫管理表と商品有高表を作成し，仕入数，売上数，在庫数，売上原価，売上高，販売利益を把握できるようにした。これらの工夫を生かして月次処理を行った。

最後に，2010年（平成22年）10月18日に学生たちは大学への寄付を行った。前期の販売会実施場所は全て学内であった。施設賃借料の意をこめて，彼らは明治大学未来サポーター基金に10,000円を寄付した。この寄付によって販売会での利益を大学に還元した。

この時の様子は明治大学広報平成22年11月号に取り上げられた。

翌2011年（平成23年）5月29日，学生たちは借入金（“3仕入・在庫管理，販売2010年6月5日”参照）の返済を行った。借入金があってはじめて行えた事業であることを痛感した。最長借入期間は1年間であったが，359日目（平成23年5月29日）に全額の返済を行った。借入金10万円と利子4,917円は株式会社アイ・フォスターに対し，現金で納めた。この借入金に付いた利子は，次のように算出された。

（借入金）×（年利）×（借入期間）÷（365日）
＝¥100,000×5%×359日÷365日
≒¥4,917.8
≒¥4,917（小数点以下切り捨て）

無事利息を付けて借入金の返済も終わった。借入金が返せたというのは営業がプラスで終わった証である。売り上げ227,850円，仕入れ131,837円，金利4,917円で91,096円の利益で，寄付10,000円（場所代に相当）のためmeicuの手元に残ったのが81,096円という結果で終わった。もちろん交通費や通信費など自前の負担や労働（人件費分）を彼らが負ってのことである。この間の彼らのマーケティング活動を見ると，黒字になるのは理解できる。それ以上に，明治大学にとって保護者などの来客をもてなせた点で大きなプラスだったと思われる。

## 5）小括

本章は，彼らの論文を読み返しながら，大幅修正し，作成した。とはいえ，彼らの論文を読みながら彼らの努力や気持ちが時間を超えて伝わってきた。筆者は多くのゼミ生（70名ほど）を抱えて各グ

ループに分けて自主的活動を促してきたが，それに十分応えた成果が得られたと思われる。マーケティング力が次第に向上する様子も読み取れた。浦幌町やC社のバックアップ，明治大学の場所の提供という多くの協力者とそのサポートに支えられたとはいえ，結果を残せたのは学生たちの成長にとって大きなプラスとなった。そして，何よりも彼らの目的であった浦幌町の商品販売を通して浦幌町の活性化と宣伝に役立てたことは彼らにとって一番の成果であったであろう。

ただ，読んでいた皆さんにとっては，うまくいかないことばかりで消化不良の内容だったかもしれない。小説やドラマだったらスカッと逆転大勝利があり，大成功で終わるはずである。しかし現実はそうはいかないし，大学生が行うわけだから成功確率は相当低くなる。学生たちが浦幌町の活性化に本気になって取り組んだこと，彼らが浦幌の商品にすばらしさを見出したことについては評価いただきたい。浦幌町のおかげで，学生たちはマーケティングの実践ができた上，失敗，成功の甘い辛いも味わえたことは彼らの成長の糧となったことであろう。

## 7. 結び

全国の大学のアクティブラーニング授業の導入に先駆けて，浦幌町は明治大学のアクティブラーニングにいち早く協力下さったので，明治大学としてはいち早く教育改革の成果を出すことができた。大学生たちが楽しみながら勉強に取り組めた。前述で失敗したことも挙げたが，失敗を味わえることは通常の大学の授業ではない。社会の厳しさの中で大学生を育てられることができたと思っている。

課題は多々残った。大学生たちが浦幌町を宣伝できたといっても大学内が中心であった。教職員，保護者，OBの一部には宣伝できた。大学生の範疇としてはこれが最大だったのかもしれないが，浦幌の地域活性化という目標に対しては中途半端な結果となった。当時もSNSが広まっていたので，それを使ってもう少し宣伝できたのではないかと感じる。しかし，指導教官の筆者の立場から言うと，当時外部でこれだけ大学生が成果を収めたアクティブラーニング授業は他にほとんどない。アクティブラーニングの大成功例と言える。

### 第8章参考文献

水野勝之（2010）「不況期における模擬ベンチャー体験授業の成果と課題」経済教育29号pp.59-64

# 第９章　浦幌文化人 ―吾妻ひでお―

水野　勝之

## 1．浦幌の文化

本章では，浦幌の文化のすばらしさに着目する。様々な文化の分野がありその中でも優れたものが多いが，その中でも特筆すべきは浦幌のマンガ文化である。今やマンガはクールジャパンとして日本の経済活動の一環である。浦幌は世界的に名をはせたマンガ家の出身地である。そのマンガ家は国内海外の各賞を数々受賞した。彼の名前は吾妻ひでおである。彼は浦幌出身であり，マンガ界では彼の名を知らぬ人がいない。それだけの有名人なのである。

彼の生い立ちや浦幌での幼少生活は興味深いところではあるが，残念ながら2019年（令和元年）彼は他界してしまったため，彼からインタビューを行うことができない。「なぜ浦幌が彼を生み出したか」を探ることはできない。本章では彼のマンガの功績をたどるとともに，彼の人となりに触れてみたいと思う。あまりにも一般の人たちとは異なる生き方の中から，彼の弱さと同時に彼の強さが見えてくる。人生の勉強にもなる。

彼の作品にはさまざまあり，評価が分かれるところでもある。だがマンガの変遷としては『失踪日記』がマラソンの折り返し地点のコーンに相当する。彼の転機ともなる『失踪日記』を中心に彼のマンガ家としての人生をたどってみることにしよう。

## 2. マンガの位置づけ

筆者は60代半ばだが，筆者たちが子どものころはマンガの位置づけは娯楽にすぎず，「マンガばかり読んでいないで勉強しなさい」がどこの家庭でも共通の親の叱責の言葉であった。それだけ，マンガは子どもの成長に悪影響を与える存在，または何の役にも立たない無駄な存在だと解釈されていた。

だが，今は異なる。京都にある京都精華大学には，マンガ学部が存在する。我々は何のためにマンガ学部があるのかとっさには理解できない。そこでマンガ学部のポリシーを見ると「社会に存在する様々な課題解決にマンガやアニメーションの技術，表現力を用いて挑んでいける人間の育成です。マンガやアニメーションを中心とした種々の表現する力を身につけ，時代の変化や技術の進歩に即応し広く社会に貢献できる力を養います。」とある。かつて自分の大学のポリシー設置の責任者を行ったことのある筆者にとっては，なぜマンガが社会で重要なのかを書いてほしかったが，とりあえず「時代の変化や技術の進歩に即応し広く社会に貢献できる力」の醸成が目的である。マンガの研究を通して社会貢献できる人材が育成される。

筆者が勤める明治大学でも米沢嘉博記念図書館がある。米沢は明治大学出身でいまや何十万人（2019年（令和元年）は75万人）と人を集めるコミックマーケットの創始者のひとりである。1975年（昭和50年）に第1回を開催したときのメンバーであり，1980年（昭和55年）から2006年（平成16年）まで準備会の代表を務めていた人である。2008年（平成20年）に国際日本学部が設立され，その中でマンガ研究が始まった。その本格的研究のための博物館として米沢嘉博記念図書館が設立された。推計数十万冊の図書が所蔵されているという。このように複数の大学でマンガは教育研究の対象となっており，いまや大学でもマンガは重要な研究対象である。

また，産業経済にとってもマンガの位置づけが重要になってきた。韓国は，自国の芸能文化を国外に広める際ハードのテレビなどの機器の輸出を増大させた。日本でもマンガは書物などの輸出の形で重要なだけでなく，マンガ文化を訪ねて来る，多くのインバウンド観光客を世界から誘致した。秋葉原のオタク文化の元になったのはやはりマンガであった。マンガは文化を作り，経済を作る。マンガの活用の仕方で新しい産業が生まれることもあれば，マンガとの抱き合わせで電化製品を扱う既存の産業が伸びていく。今後はマンガとAIと組み合わせての産業が成長するであろう。マンガは日本経済にとって欠かせない重要な要素となっている。

## 3. マンガ

### 1）吾妻ひでお

浦幌出身のマンガ家と言ったら吾妻ひでおである。彼は全国で名をはせたマンガ家である。彼の作風は，ロリコンを基調とし，我々の世代や行政がおおっぴらに宣伝できるものではない。SF等それなりの幅を広げてのマンガの種類であったが万人受けするというものでもなく，浦幌の図書館にコーナーを設けられてはいるが，大々的に地元のヒーローとして宣伝されているわけではない。だが実際には日本の文化も，現在コスプレでもロリコン風が流行ったりと，若い世代では大手（おおで）を振っての地位を占めている。そこで我々の世代も吾妻ひでおを著名文化人として扱ってみたいと思う。

彼が評価されるのは，第1は彼の描いた初期のマンガであり，第2は第2の人生として彼が著した「失踪日記」という本である。前者のマンガに関しては1969年（昭和44年）にマンガ家としてデビューし当時は永井豪などのお色気マンガが流行っていたことから，「ふたりと5人」というお色気ギャグマンガを1972年（昭和47年）に「週刊少年チャンピオン」で連載した。これが大いにヒットした。「不条理な展開とギャグ，SF作品などのパロディーなど，独自の作風」（J-castニュース）という点で人気を博した。以後「オリンポスのポロン」「ななこSOS」「やけくそ天使」など人気マンガが続いた。

本段落では吾妻ひでおについて紹介しよう（注25）。

吾妻ひでおは1950年（昭和25年）生まれであり，2019年（令和元年）に没した。ここで取り上げているように，彼は言わずと知れた浦幌町出身である。浦幌市街地の宝町に居住していた。高校は北海道立浦幌高等学校である。全日制B組（48人）に在籍し，1967年度（昭和42年度）に卒業（3クラス144人）した（十勝毎日新聞2019年10月22日）。高校卒業後凸版印刷に就職したが，1か月でやめてしまったという。親を安心させるための就職であり，当初からマンガ家を志望していたようである。その後，筆者の世代ならば知ってる「おらぁグズラだど」の作者である板井れんたろうのアシスタントとなった。1969年（昭和44年）月刊誌である『まんが王』12月号付録「プロレスなんでも百科」の中で「リングサイド・クレイジー」を書いた。これが事実上のデビュー作であった。翌年同

---

（注25）ここではウィキペディア「吾妻ひでお」を参考にしながらまとめさせていただく。通常研究では孫引きのためウィキペディアは参考資料にあげるべきではないといわれている。ここでは客観性が保たれると判断して参考とした。

じ『まんが王』で「二日酔いダンディー」の連載を始めた。一人前のマンガ家への第一歩であった。同じ年,『少年サンデー』に「ざ・色っぷる」を連載した（ただし，6回で終わったそうである。）。1972年（昭和47年）に，前述したように，人気マンガとなる「ふたりと5人」の連載を『少年チャンピオン』で始めた。

前述のように「ふたりと5人」はエロチックなコメディまんがであった。エロチックさを出すように『少年チャンピオン』の編集者から言われてやむに已まれずとのことだったそうだ。だがそれがヒットしたのであるから『少年チャンピオン』の編集者の要求は（良いか悪いかはわからないが商業的には）的確であったのであろう。こうして吾妻ひでおは人気マンガ家となり，第一線のマンガ家たちと肩を並べることとなった。以来，美少女のエロチックものの路線を突っ走ることになった。1978年（昭和53年）12月の『別冊奇想天外No.6 SFマンガ大全集Part 2』（奇想天外社）での『不条理日記』では，第18回日本SF大会星雲賞コミック部門を受賞した。このように，吾妻ひでおのマンガはエロチックでだれもがもろ手を挙げて称賛するものではないが，多くの読者のニーズに応え（？），賞の受賞にも至っている。このことから当時の新しい文化として必要とされていたのであろう。

## 4. 変遷1 『失踪日記』(注26)

いまや吾妻ひでおと言えばマンガ界を代表する存在であるが，彼の人生は順風満帆とは言えなかったようである。『失踪日記』を読んでみると，一般人が経験することのないような人生を送ったこと

---

（注26）著作権の観点で内容の詳述については避ける。原本を参照していただきたい。

が記されている。そこでは彼の暗い人生部分が読み取れる。

我々一般人からすると，有名人なのになぜ不幸になるのか不思議なケースがよくある。『失踪日記』を見ると，失踪前は彼はいくつも連載を持っていた。にもかかわらず，それらをすべて打ち切ったり，放棄して流浪の旅に出た。彼も売れっ子マンガ家なのになぜ突然仕事を放り投げてホームレス生活に入ったのか。誰もがもったいないと思う。我々俗人が理解できないような経験を自ら選んでいる。

うつの症状になったという。仕事をしようとしてもアルコールを飲んでしまう。うつになると，お酒に逃げたくなる。お酒を飲むと気分が楽になり，場合によっては楽しくなる。お酒を飲みたくなる気持ちはよくわかる。だが，覚めると気分は一転する。逆戻りする以上に，気持ちが落ち込んでしまう。彼もそういう気持ちになったのか，死にたいという気持ちにまで至ったようだ。自殺の場所までも探したという。だが，死のうとした森の中でまたもやお酒を飲んでしまい，死ぬ前に寝込んでしまった。お酒が彼をダメにしたのか，お酒が彼を救ったのか？解答はわからないがその後ホームレスと化したという。

流浪の旅に出た後は，黒澤明監督の映画「どですかでん」のホームレスのような生活になる。「どですかでん」ではホームレスの親子（正確には親子ではない）がごみをあさって食事を探す。その中で彼らにとってのごちそうを見つけたりする。後におなかにあたってしまうのだが，しめさばをみつけてごちそう視していたのが印象的であった。

この『失踪日記』は，その後，第34回日本マンガ家協会賞大賞，第9回文化庁メディア芸術祭マンガ部門大賞，第10回手塚治虫文化賞マンガ大賞，第37回日本SF大会で星雲賞ノンフィクション部門を受賞したとのことである。日本マンガ家協会賞大賞，文化庁メディア芸術祭マンガ部門大賞，手塚治虫文化賞マンガ大賞のマンガ3賞を受賞したのは彼だけだそうだ。(ウィキペディア)

マンガ家で大成しながらも，このようなどん底の生活をしていた。『失踪日記』はマンガで面白おかしく書かれているが実際はシビアな生活だったように思われる。ただ，彼のすごさはマンガ家に戻ろうとすればいつでも戻れたことである。悲惨な体験をユニークに描き切ったところに彼の真骨頂があった。それだけマンガ家の才能があった。

## 5. 変遷2 『失踪日記2 アル中病棟』

彼は2013年（平成25年）に『失踪日記』の第2弾『失踪日記2 アル中病棟』を出版した(注27)。『失踪日記』の後半部分とダブるが新たに描いたマンガである。

お酒がちょっとでも切れるとイライラしたそうで，1998年（平成10年）には精神病院に入院することになったという。窓には鉄格子があり，手足も拘束されたようだ。苦労苦労の入院生活を経験したとのことである。「断酒か死か」の選択ということで，最後はお酒に関心がなくなったようである。3か月入院の後断酒を続けられたとのこと。こちらの本でも苦しい入院生活についてユニークな書き方で読者を和ませながら自分の苦悩を描いている。彼の実力が発揮された作品である。

---

（注27）こちらの方でも本の内容を事細かく紹介するのは避ける。彼の苦労を知るために概要を紹介するのみとする。

## 6. 吾妻ひでおのツイッター

彼は2010年（平成22年）からツイッターを行っていたようだ(2021年12月5日現在確認できるのは2013年10月26日からのもの)。社会から逃避していた彼が，社会に自分の情報や気持ちを伝えるようになった。彼のツイッターには5万人のフォロワーがいた。日本中に名前を馳せただけでなく，様々な体験をしてきた彼のツイッターだけに，内容はごく庶民的であり，日常の生活そのものが醸し出されているので親しみやすさを感じる。

ツイッターを開始した初期のころから中期にかけてはファンの人たちとのやり取りが活発であった。本物の吾妻ひでおと，ツイッター上とはいえ会話ができるのであるから，ファンとしてはうれしい。ツイッターはファンへのサービスを兼ねている。自分が行うサイン会などをちゃっかりアピールしている。全体を通してみると，何度も出てくる，かわいい女の子のイラストとそれを描いたむさいおっさんの写真のコントラストがなんとも面白い。

病気の際にも状況を伝えていた。2017年（平成29年）の食道がんの手術では苦労したようである。自分の写真を何枚もツイッターにあげている。毛が抜ける前に坊主頭にした写真を掲載。胃を釣り上げて食道にする手術だったことも記載。「何を食べても美味しくなく，食後は吐き気に悩まされてい」るとのことであった。楽ではない闘病生活を過ごしたようだ。その後も闘病生活の苦しさが伝わってくる。点滴の写真は痛々しい。ツイッターで入退院を繰り返す報告をしている。

生き物は好きなようである。犬と猫をペットに飼っていたようだ。その犬と猫がたびたびツイッターに登場する。かわいいしぐさの写真や散歩の写真などが目に入る。メダカも飼っていたこともあるようだ。暑さに負けてメダカが数匹死んだ写真もアップしている。また，カエルも庭に飼っている（?）らしく卵を産んだことを喜んで報告している。次の春にそれらがふ化し，無数のオタマジャクシがバケツに泳いだ。それにほうれんそうを与えたという報告もしている。こうしたオタマジャクシの報告が毎年なされているので，さぞカエルに関心があったことが想像できる。2018年（平成30年）には無数のオタマジャクシに足が生えるところまで行ったのだが，水を入れ換えるのを怠ったため全滅してしまったという。自分がえさを与えすぎてしまったのかとも書いている。短文での報告ではあったがさぞやつらかったであろう。2019年（令和元年）亡くなる2か月前までオタマジャクシがカエルに成長する様子がツイッターで報告されていた（2019年はオタマジャクシとカエルの話題に終始していた。)。メダカと言い，オタマジャクシと言い，生き物を育てるということが容易でないことが伝わってくる。また，植物もいろいろ登場している。緑の植物の鉢を机の上に置いている。また，グズベリーも育てていて赤い実を実らせている。すっぱかったとのこと。このように生き物が好きなのも，少年時代を自然豊かな浦幌で過ごしたことに関係しているのであろうか。食道がんを患った後はこうした生物たちを通して自然の世界に自分を置いているのかもしれない。

## 7. 他界

吾妻ひでおは2019年（令和元年）10月13日未明都内の病院で死去した。享年69歳とのことである。まだまだ活躍できたであろうに，少し若すぎた。前述のように，食道がんを患って以来の闘病生活の末だ。告別式は近親者で行った。それとは別に，四十九日の同年11月13日に築地本願寺第二伝道会館で「ファン葬」が行われた。萩尾望都氏，新井素子氏らが弔辞を述べた。一部に展示コーナーがあり，彼が参加していた『“癒し”のための自己表現展』の出品作品が展示されていたという。

1970年代にマンガで名声を手にし，一度は落ち込んだものの「失踪日記」で復活を遂げた。そのようなたくましい吾妻ひでおであるからまた復活が望まれていたが，病には勝てず，2019年残念ながら帰らぬ人となってしまった。

## 8. 学術的評価

明治大学でも明治大学米沢嘉博記念図書館が主催し，2011年(平成23年) に吾妻ひでお展が行われた。内容については，「吾妻ひでおは〈美少女〉表現の空前の実験者でした。さながらSF映画に登場するマッド・サイエンティストのごとき創造力で，『美少女のロボ化』『美少女のネコ耳化』『美少女の巨大化』『美少女の増殖』『美少女と変な機械』『美少女と変な生物』など，さまざまな実験を繰り広げました。数々の実験とその豊穣な成果を，後続におよぼした深い影響とともに検証し，展示」（明治大学HPより）した。「吾妻ひでおは，日本のマンガやアニメを特徴づけるキャラクターのスタイルや描写，SF的表現などに，さまざまな革新をもたらしてきました。とりわけ，おたく文化の形成におよぼした影響は絶大で，今の秋葉原を彩る多くの絵柄に吾妻作品の遺伝子が引き継がれています」（明治大学HPより）とのことである。2019年（令和元年）に彼がなくなった際，明治大学HPに追悼の言葉が掲示された。筆者が勤務する明治大学でも，彼のマンガの才能だけでなく，文化面での貢献を評価している。

## 9. 浦幌町での評価

意外なことがある。当初はエロチックなマンガだったこともあり，浦幌町内で吾妻ひでおの評価が高くないことである。だが，明治大学の研究でも高い評価がなされているように，日本の著名なマンガ家であり，日本のオタク文化の形成の基礎となった，日本を代表する文化人である。明治大学でも展示会を開くほどの功績を残している。筆者はマンガの「名探偵コナン」の作者である青山剛昌の故郷である鳥取県北栄町の地域活性化の研究にも携わってきた。そこには「青山剛昌ふるさと館」という博物館が建てられ，1年に1度本人が出席する講演会も行われている。町のメインストリートには「名探偵コナン」の登場人物のオブジェが並んでいる。おかげでインバウンド時北栄町には海外からも多くの人たちが殺到したそうである。筆者がかかわり始めたころはがらんとしていた「青山剛昌ふるさと館」も，新型コロナ前のインバウンド全盛期には，入場するために2時間待ちの行列ができたという。

だが，浦幌町には吾妻ひでおの痕跡が少ない。彼の博物館もない。図書館に1段彼のマンガが所蔵されているくらいである。青山の作品は万人受けするが（子供向け？），吾妻ひでおの場合失踪日記での生活の荒れ方が批判されているというより，やはり彼のエロチックなマンガタッチが受け入れられないところがあるのであろう。

## 10. 『失踪日記』の評価

彼の海外評価は目覚ましい。ウィキペディアからの抜粋であるが，彼は海外において次のような賞を受賞している。

アングレーム国際マンガ祭公式セレクション（2008年）

ニューヨーク・マガジン2008年文化賞 グラフィックノベル部門1位

グラン・グイニージ賞受賞（2019年,）（Riscoperta di un'opera（再発見された作品）部門）

フメットロジカ―2019年の外国のグラフィックノベル ベスト10

イグナッツ賞ノミネート（2019年）

本書で筆者が評価するだけではなく，このように国内，海外で数々の賞を受賞している事実が彼のマンガの評価の高さを物語っている。彼のマンガ家としてのデビュー後の前半におけるロリコンもののマンガも高く評価されたが，一度マンガ家を離れた後の「失踪日記」の内容や描き方の特異性が彼のより高い評価につながっている。

前半の彼の功績では，当時の永井豪などのエロチックなマンガと並び，新たな青少年の文化を作ったということが挙げられる。コメディものとして明るく描いた点でエロチックさがどぎつさではなく笑いや楽しさにつながった。万人が褒めるものではないので浦幌町でも彼を称賛する声が少ないが，明治大学の展示会や追悼の言葉でも述べられているように，オタク文化を発祥させた人物の一人という意味で彼は日本の文化を変えた役割を果たしている。

後半の彼の功績では，暗い話を明るく紹介するマンガのパターンを作り上げたことが挙げられる。苦労話を面白おかしく紹介したユニークなマンガの先駆者のひとりだという位置づけである。それ以前は，暗い内容は暗く，明るい内容は明るく描くのが一般的であったと思われるが，それを混合することにより，人生を楽しく印象付けることに成功した。その後，自分の身近な苦労話を楽しく紹介する，多数のマンガの出版が続いた。その意味で，彼の「失踪日記」は日本だけでなく世界の先駆者であった。

一口メモ

人生，どん底になったときに逆にそれを利用し復活したのが吾妻ひでおであった。自分の「落ち込み」を利用して次のステップで成功するという点は一つの人生モデルである。一般の人たちは，一度落ち込み，それを忘れるまでなかなか立ち直れない。彼の才能はその立場を逆利用した。芸術家というのは，自分のマイナスを作品に描き，そして成功している。その意味で彼は真の文化人の一人であるといえよう。才能があるからこそのなせる業ではあるが，一般人としても見習いたいところである。

## 11. 浦幌町での展示会

浦幌町で彼の展示会が開かれたことがある。2006年（平成18年）2月浦幌町教育文化センター特設展示室にて，「吾妻ひでお氏の『原画展』と浦幌絵画サークル『絵画展』のジョイント展」が開催された。吾妻ひでおの原画と浦幌絵画サークルの絵が展示されたとのことである。それだけではない。「マンガ家・吾妻ひでお氏，（吾妻さんの姪にあたる（浦幌町HPより））陶芸家・吾妻史絵氏，ひでお氏の兄で史絵氏の父でもある吾妻勲氏（絵画），3人によるファミリー展を同時設営」（「吾妻ひでお原画展と浦幌絵画サークルジョイント展」より）したそうである。「陶芸に活路を見出し，焼き物で豚のラーメン屋台を作ってしまうといった史絵氏」（同HPより）の作品が展示された。浦幌町HPでは，「吾妻史絵さんの『萬古焼展』も同時設営され，器などのほかに，ラーメン屋台の形をした蚊遣り豚など遊び心の強い作品も多く展示され」たと紹介されている。きっとにぎやかな楽しい展示会であったことであろう。吾妻ひでおがこの形式を望んだのかもしれない。

この浦幌町での展示会での特徴は，吾妻ひでおだけでなく，彼の親族，そして地元の人たちの作品とのコラボだったことである。彼の存在のおかげで他の人たちの作品も輝いて見えた点で評価できる。ただ，ローカル色の強い展示会となった気がする。吾妻ひでおは今やグローバルな有名人であり世界的に高く評価されているのであるから，次に「吾妻ひでお展」を行う時は海外から人が訪れる展示会にしてはどうであろうか。2006年（平成18年）時点ではまだまだグローバルな評価には達していなかったのかもしれないが，今や押しも押されぬ世界的マンガ家になったのである。

YAHOO検索をしても「吾妻ひでお」の展示会というと，2006年の浦幌展以外には前述の明治大学での展示会しか出てこない。他では行われてこなかったのであろうか。こんな有名人なのに不思議である。ロリコン的なマンガを描いた時代ならともかく，『失踪日記』以後は世界的評価も高い。鳥取県北栄町に青山剛昌の博物館があるように，浦幌町に常設の博物館があってもおかしくない。インバウンドが再開されたら多くの海外からの観光客が訪れるであろう。浦幌町が活性化されることが期待できる。吾妻ひでおは浦幌町にとって貴重な文化財である。

## 12. 小括と提案

吾妻ひでおは浮き沈みの激しいマンガ家であった。沈む際には，やはり自分の判断でマンガを離れたという事実もある。マンガ家としては終わったかと思われたが，作品『失踪日記』で見事復活を果たした。復活後，彼は賞を総なめし，再び高評価を得るに至った。

よって，浦幌町出身の偉人の一人として扱うべきだと考える。前述したように，鳥取県北栄町は地元出身の青山剛昌を生かして活性化に成功している。「失踪日記」の作者の吾妻ひでおの痕跡を大々的に展示できれば，インバウンドが再開した際外国から多くの人が訪れる可能性がある。現在図書館の中に吾妻ひでおコーナーがあるが，よその町の人がわざわざ図書館の中に入るのは敷居が高い。皆さんも他の地区の図書館に行くことはほとんどないであろうし，図書館だと館内で話をすることができない。そこでは説明も受けられないし情報交換もできない。

吾妻ひでおを郷土の文化人として展示し売り出してほしい。最初は学術的，文化的な展示から始めたらよいのではなかろうか。宝町の吾妻ひでおの生誕地巡り，博物館の一角での吾妻ひでおの常時展示などがあれば，彼に関心を持つ人はちょっと寄ってみたくなるのではないであろうか。

これだけの文化人である。地元の浦幌町が彼を活用して地域を活性化できれば，きっと天国の吾妻ひでおも喜んでくれることであろう。ただ，注意しなければならないのは，青山は存命中で次から次に新しい作品を輩出しているのに対して，残念なことに吾妻は亡くなってしまっている。次の作品が生み出されない。そうした創造性の継続がないのが欠点になり，客足が中途半端に止まってしまうことがありうる。この点は注意しなければならない。


参考文献

２の参考

明治大学米沢嘉博記念図書館HP（2021年12月23日確認）
https://www.meiji.ac.jp/manga/yonezawa_lib/

全体を通しての参考

「死去の吾妻ひでおさん，マンガ界に大きな影響遺す　「不条理日記」「失踪日記」…悼む声次々」J-castニュース2019年10月21日（2021年11月15日確認）
https://www.j-cast.com/2019/10/21370581.html?p=all

ウィキペディア「吾妻ひでお」（2021年11月28日確認）
https://ja.wikipedia.org/wiki/%E5%90%BE%E5%A6%BB%E3%81%B2%E3%81%A7%E3%81%8A

吾妻ひでお『失踪日記』イースト・プレス，2005年

吾妻ひでお『失踪日記２アル中病棟』イースト・プレス，2013年

「吾妻ひでお展開催」明治大学HP（2021年12月３日確認）
https://www.meiji.ac.jp/manga/yonezawa_lib/exh-azuma.html

「追悼吾妻ひでお」明治大学HP（2021年12月３日確認）
https://www.meiji.ac.jp/manga/yonezawa_lib/azuma_tsuito.html

吾妻ひでおツイッター（2021年12月３日確認）
https://twitter.com/azuma_hideo

「吾妻ひでお先生　ファン葬に参列する」（2021年12月７日確認）
https://bako2.way-nifty.com/neogeo/2019/12/post-289637.html

「吾妻ひでお原画展と浦幌絵画サークルジョイント展」2006年２月５日（2021年12月18日確認）
https://mixi.jp/view_bbs.pl?comm_id=590172&id=4395791

「４日～18日 吾妻ひでおさんの原画展と浦幌絵画サークルのジョイント展」浦幌町HP　2006年（2021年12月18日確認）
https://www.urahoro.jp/syuzai/2005/2.html

《著者紹介》
**河合芳樹**（明治大学客員研究員）
**楠本眞司**（明治大学兼任講師）
**土居拓務**（明治大学兼任講師）
**本田知之**（外務省在シアトル日本国総領事館領事）
**本間悠資**（NPO 法人うらほろスタイルサポート理事）
**水野勝之**（明治大学商学部教授・経済教育学会会長）
**水野貴允**（公認会計士）

※大学生名は除く

《編著者紹介》

**水野勝之**（みずの かつし）

明治大学商学部教授，博士（商学）。経済教育学会会長。早稲田大学大学院経済学研究科博士後期課程単位取得満期退学。『ディビジア指数』創成社（1991年），『日本一学－浦安編』創成社（2007年，共編著），『新テキスト経済数学』中央経済社（2017年，共編著），『余剰分析の経済学』中央経済社（2018年，共編著），『コロナ時代の経済復興』創成社（2020年，共編著），『イノベーションの未来予想図－専門家40名が提案する20年後の社会』創成社（2021年，共編著）その他多数。

**地方創生読本**

—北海道浦幌町編—

2023年3月30日　初版発行

編著者　水野　勝之
発行者　長谷　雅春
発行所　株式会社五絃舎
　　　　〒173-0025　東京都板橋区熊野町46-7-402
　　　　電話・FAX：03-3957-5587

組版：株式会社 日本制作センター
印刷：株式会社 日本制作センター
Printed in Japan
ISBN978-4-86434-168-4